La petite collection
Collection dirigée par Max Poty

Crédit Photos
Lionel Roche© Journaliste à l'AFP
Photos extraits sur internet, libres de droits

© 2015, LESEDITIONS**OVADIA**
16, rue Pastorelli • 06000 Nice
Nice • Genève • Paris • Bruxelles • Montréal
En application de la loi du 11 mars 1957, il est interdit de reproduire inté-
gralement ou partiellement le présent ouvrage sans autorisation de l'éditeur
ou du Centre français d'exploitation du droit de copie (CFC), 20, rue des
Grands Augustins, 75006 Paris

N° d'éditeur : 2 - 36392
ISBN 978-2-36392-151-2

CHARLIE
For Ever

CAROLINE COHEN
Sous la Direction de

LESEDITIONSOVADIA

Joseph Agostini
Camille Arman
Howard Barker
Luc Besson
Sylvain Boes
Isabelle Chopin
Claude Cognard
Caroline Cohen
Ilan Cohen
Michael Cohen
Rony Cohen
Cyrille Godefroy
Docteur Graus
Philippe Huneman
Serge Lainé
Camille Laurens
Jane L'her
Agnès Martin Lugand
Stephan Mathivon
Sarah Mostrel
Gérard Muller
Bernard Musicant
Massinissa Nait Sidenas
Pierre Alexandre Orsini
Carlos Perez Bucio
Sylvain Quehen
Antoine Spire
Jacob Taieb
Philippe Urvoy De Closmadeuc

*Ce livre est une réaction collective au lendemain d'une tragédie
unique qui marquera à jamais notre génération*

*Je remercie tous les auteurs
qui ont eu la gentillesse de me confier un texte
en réaction aux événements du 07 Janvier 2015*

*Je remercie tous ceux
qui ont accepté de répondre à mes questions*

*J'ai aussi puisé sur internet des extraits ou images chocs
(Patrice Chéreau, Xavier Dolan, Luc Besson, etc.)*

*Les assassinats pratiquement simultanés de journalistes célèbres
de* Charlie Hebdo *et de clients, juifs anonymes,
d'un Hyper Cacher de quartier, nous oblige à nous interpeller
sur ce que peut signifier aujourd'hui, dans notre société,
la notion de liberté*

Caroline Cohen

Dessin Eric Denudt

La splendeur de l'innocence

Être normal ? Le monde n'est pas normal.

Être fou ? Le monde, s'il était fou, serait beaucoup moins dangereux car la folie, c'est juste de l'extravagance.

Il n y a pas de passage à l'acte, chez les artistes. Des mots, des textes, des dessins et surtout les caricatures que l'on aimait tant.

La liberté ? Être soi, comme nos amis chers qui ont osé se définir «soi même» et on les a tués.

Donc la liberté : n'adhérer ni à la folie, ni à la normalité, mais finir assassiné ?

C'est insupportable.

C'est atroce.

C'est abject.

Maintenant on assassine l'intelligence ?

On tue l'audace ?

Ils étaient drôles, beaux, forts, et on les a empêchés

de parler. Ils n'ont plus de bouche à cause du trou béant de ce monde.

On a tué la splendeur de l'innocence. Comment voulez vous que l'on accepte cela.

Charlie tu nous manques.

Nous avons le devoir, la décence, de t'embrasser.

A kiss for ever pour Charlie For Ever.

Nous pleurons, nous sommes en colère, mais l'amour est plus fort.

Nous ne sommes pas dans la sentimentalité.

Nous sommes dans l'amour.

Avant, Charlie tu étais notre parent.

Maintenant, Charlie, tu es notre enfant et nous te portons tous en nous. C'est impossible de tuer cela.

Ils ont tué la splendeur de l'innocence, or elle ne peut pas mourir. Cet hommage est pour toi, notre enfant.

Le monde est un casino: «le sexe, le fric», et toi Charlie, tu l'avais bien compris, puisque tu nous faisais tellement rire avec tes caricatures du monde.

Le monde est un jeu d'échec et ils nous ont tué notre enfant roi.

Charlie, tu t'imagines avec une couronne?

Je sais que tu rigoles je sais aussi que, sans toi, on ne peut plus rire puisqu'il y a eu cette corrida.

Mais, tu sais Charlie?

Les taureaux étaient magistraux et les danseuses sont ridicules avec leurs armes.

Dansez, oui.

Vous êtes ridicules.

Dansez armés c'est à la mode. Vous êtes ridicules.

Continuez à danser avec vos cagoules, vos armes, vous êtes ridicules.

Le visage de Cabu est d'une telle humanité.

Charb, Wolinski, Cabu, Tignous, Bernard Maris : des visages heureux pour toujours car amoureux de la vie.

Vous n'avez pas de visage, les danseuses ridicules de cette corrida, vous avez des trous à la place des yeux.

Vous n avez aucune splendeur, aucune dignité, et maintenant, à cause de votre danse ridicule, nous n'avons plus rien.

Avant, il y avait Charlie. Maintenant nous avons un monde d'abréviations qui ne rigole pas et ne fait plus rire.

DSK BHL UMP CIA FBI HSBC et DCD.

Et j'en passe.

Le monde ce sont des abréviations.

Toi, Charlie tu savais.

Alors tu nous faisais rire sur tous ces cons qui ne sont que des abréviations.

Mais pour les danseuses ridicules, tu n as pas été prévenu. La corrida a eu lieu. Mais nous, nous sommes là, et je vais te dire, Charlie que, avec nos mots, les danseuses ridicules on va leur mettre des tutus roses, on va retourner en arrière elles vont se pointer chez toi et il y aura quoi dans leurs petits pistolets?

Les baisers que l'on t'envoie avec nos mots, notre révolte, notre imagination, et tu sais quoi?

Devant ta porte, on va écrire : «on ne touche pas a la splendeur de l'innocence».

Oui je sais on n'est pas drôles.

C'est toi qui était drôle, mais ce baiser, c'est pour toujours.

Tu es intouchable.

Avec nous, tu ne meurs pas, car ce baiser, c'est notre chaleur humaine et tu sais quoi Charlie? OK, on n'a plus le droit d être morts de rire, mais eux, ils vont mourir de froid.

A kiss forever to Charlie forever.

Hey Charlie? Chut baby, on attend un enfant et là, pas d IVG.

Tu sais bien, Charlie, maintenant que tu es notre enfant que, «maman, réveille-toi, les monstres», ça n'existe pas.

Alors, dépêche toi de sortir avec ta tête de Cabu car on t'a déjà préparé ton pyjama : «je suis Charlie» parce que, tu sais quoi? T'as pas intérêt à dormir.

Au fait, Charlie, on t a préparé aussi une berceuse.

Ce n'est plus le diable et la java.

Quoique… mais on a changé les paroles un petit peu.

Allez, tous ensemble :

« Quand la java, quand la java est là, le diable, le diable, le diable s'en va ».

Et on va danser la Javanaise.
Tu rigoles, Charlie ?
C'est bien. C'est très bien.
Tu sais quoi, Charlie ?
Tu reviens de loin, mais t'es là.
Maintenant on va te lire pleins de choses et tu sais quoi Charlie ?

T'as plein de papas et t'as plein de mamans et ils vont tous te lire ce qu'on t'a écrit.

Je sais, on ne va rien t'apprendre.
Mais tu sais quoi Charlie ?
Bienvenue sur terre.

Caroline Cohen
Écrivain et metteur en scène

C.h.a.r.l.i.e

Qui dira la force des tendres ?

Qui comprendra la ténacité qu'il y a à résister aux armures dont on veut nous affubler ?

Conduite directe vers la dureté des cœurs…

Qui comprendra la beauté des pleurs ?

Devant toutes les rationalisations

Récupération

Sécurité

Militarisation

Aliénation

À l'intérieur à l'extérieur

Des *Charlie* dans toutes les maisons

Comme il est

Hors de question de désespérer de l'être humain,

Armons-nous de courage et

Redessinons chacun

La vie que nous aimons à chaque instant

Ici

Et maintenant!

Camille Arman
Écrivain

Ma Phrase

Un crayon saute la barrière…
Deux crayons sautent la barrière…
Trois crayons sautent la barrière…
65 millions de crayons sautent la barrière…
07 milliards 300 millions de crayons sautent la barrière…

Stephane Mathivon
Consultant

L'esprit de Voltaire à terre

7 janvier 2015.

Un bureau, parmi tant d'autres, perdu dans la grisaille parisienne. Des coups de crayons, des éclats de rire, une camaraderie badine et égrillarde, des imaginaires vierges de tout joug, une sauvage inspiration délestée de toute censure. Une pièce où tout semble possible.

En effet, une porte s'ouvre. L'obscurité tombe en plein midi. Les paupières se ferment les unes après les autres. Les emprises sur les stylos, ces petites tours, se desserrent tragiquement. Les dessins s'imprègnent de carmin. Des hommes, des artistes, des copains tombent à terre, à l'unisson ou presque.

Mauvaise chute.

Ce ne sont pas seulement des corps qui s'écroulent en ce mercredi 7 janvier 2015 ; c'est aussi l'esprit de Voltaire que tentent d'assassiner les terroristes.

Du 11 septembre au 7 janvier, il n'y a qu'un pas meurtrier, un océan d'inhumanité.

Quel est le message adressé au monde par ces ombres encagoulées se réclamant du prophète Mahomet? Que ceux qui osent remettre en question ou brocarder les symboles de leur structure identitaire et religieuse s'exposent à des représailles fatales. Le djihad prôné par les terroristes n'admet ni la légèreté ni la discussion. Il se nourrit de violence et d'oppression. Il sous-tend un désir irrépressible de domination et d'expansion.

Qu'est-ce qu'un terroriste si ce n'est un être paumé, souvent désocialisé, sans réelles perspectives, qu'il soit d'origine française ou étrangère. Il puise dans l'adversité, le combat et la destruction le gage de son existence, jusqu'à son ultime extrémité… la mort. Le terroriste s'affirme par l'éradication systématique de ce qui offense le cœur de son identité auquel il s'est aveuglément aliéné durant son embrigadement (*via internet et/ou un voyage dans un camp djihadiste*).

On ne naît pas terroriste, on le devient. Le terroriste, avant de devenir un tueur, est un individu qui se cherche, vivotant dans un flou existentiel, balloté entre la prison, les potes, les petits trafics, le vide affectif et culturel. Il aspire à appartenir à un groupe, à adhérer à une cause qui fera de lui un acteur de sa vie, voire un exemple à suivre. Il désire ardemment sortir de sa condition de pantin ou de rebut de la société. Un peu comme tout à chacun. Le terroriste prend simplement le pire chemin.

Et il faut bien l'admettre : le terrorisme est aussi le symptôme d'un modèle occidental malade, anémié.

Au XVIIIe siècle, Voltaire demeurait déjà démuni face à l'obscurantisme : « Que répondre à un homme qui vous dit qu'il aime mieux obéir à Dieu qu'aux hommes et qui, en conséquence, est sûr de mériter le ciel en vous égorgeant ». Menacé par ce péril fanatique, quelle attitude doit adopter l'occident qui demeure malgré tout un îlot de paix et de liberté ? Dans un monde nouveau où les populations se brassent, où les nationalités s'entremêlent, il serait étriqué, tardif et illusoire de procéder à la fermeture des frontières et au repli sur soi-même.

La responsabilité de cet enjeu est évidemment d'ordre politique mais elle relève également d'un mouvement individuel dans le sens où chacun doit apprendre à vivre avec l'autre, avec sa différence, son étrangeté qui n'est du reste qu'apparente et superficielle. L'homme libre occidental se fourvoierait s'il se recroquevillait dans la défiance et la stigmatisation.

Cette posture est difficile à tenir car l'homme occidental est lui-même fragilisé à bien des égards, corrodé par de multiples fléaux, en particulier le consumérisme, le matérialisme, le vide spirituel qui s'engouffre dans le sillage du compresseur économique.

Nos démocraties valorisent démesurément la richesse, le pouvoir, la célébrité, la productivité au détriment du vivre ensemble et de la création intérieure.

Puisse notre modèle conserver suffisamment de consistance et de souffle pour ne pas fustiger aveuglément l'ensemble de la communauté musulmane et sombrer dans un conflit civilisateur.

Puisse notre modèle concentrer uniquement sa réponse sur les fanatiques, leur organisation, leur mode d'action, mais également en amont sur les facteurs d'émergence de ce fanatisme, qu'ils soient éducatifs, culturels ou socio-économiques.

Bien avant cet attentat visant *Charlie Hebdo*, l'esprit des Lumières dans notre pays s'était déjà ramolli, essoufflé, affaissé. La pensée s'était insidieusement racornie, lézardée, aseptisée. De plus en plus, l'invective, l'intolérance, «la moraline», le politiquement correct contribuaient à asphyxier les échanges.

Cet attentat vient nous rappeler que la liberté d'expression peut s'éteindre à tout moment telle la flamme d'une bougie exposée aux vents mauvais.

Il revient à chacun de se comporter de telle façon à ce que la liberté, le respect d'autrui, la tolérance mais aussi l'impertinence, l'humour, la singularité perdurent et s'étendent aux régions qui n'en jouissent que partiellement.

Puisse ce mercredi 7 janvier servir d'électrochoc et stimuler cet esprit, cette vigueur que nous avons hérité des lumières!

Cyrille Godefroy
Écrivain

Ne ferme pas la porte
à la liberté

Ne ferme pas la porte, nous sommes là, Charlie,

Ne fermez pas la porte, nous sommes là, amis
On a voulu tuer la liberté, vous êtes partis,
Un matin, des terroristes l'ont décidé, ainsi.
Hier pour toi, j'ai marché, j'ai défilé,
Je te devinais et rêvais à tes côtés,
je te savais là, dans le sourire, et dans l'esprit.
Les hommes se sont unis, ils sont venus pour toi
Ont traversé, la France, l'Europe, tant de pays
Pour protester, pour te pleurer, pour t'aimer,
« Chante avec nous, Charlie! Chantez mes amis! »

Ne ferme pas la porte, nous sommes là, Charlie,

Ne fermez pas la porte, nous sommes là, amis,
La liberté nous sourit, vous êtes partis,
Un matin, des terroristes l'ont décidé, ainsi.
Me baignant dans la foule, j'ai rêvé

Que les hommes devenaient frères
Que les femmes devenaient sœurs,
Et notre planète terre devenait paradis.
Et porté par la houle, soudain, j'étais fier
car des dictionnaires, je retirai « peur ».
Oui, la peur s'était évaporée, Charlie.

Ne ferme pas la porte, nous sommes là, Charlie,

Ne fermez pas la porte, nous sommes là, amis, la
liberté nous sourit, vous êtes partis,
Un matin, des terroristes l'ont décidé, ainsi.
Dans la rue, nous étions cent, nous étions des
milliers,
Le poing serré, le cœur en sang l'amour en
flamme,
Nous brandissions nos pensées comme des
yatagans,
Nous agitions nos slogans comme d'invisibles
épées,
Nous souhaitions que tu respires à travers nos
pensées,
Nous étions noirs, nous étions jaunes, nous
étions blancs,
Nous étions tous apôtres de la paix, dans un
même élan.

Ne ferme pas la porte, nous sommes là, Charlie,

Ne fermez pas la porte, nous sommes là, amis

La liberté nous sourit, vous êtes partis,
Un matin, des terroristes l'ont décidé, ainsi.
Chrétiens, Juifs, Bouddhistes, Hindous, ou
Musulmans,
Athées ou non, nous étions Sœurs et frères aimants,
Nous acclamions, les anges assis au firmament,
Esquissant leurs croquis sur des étoiles d'argent,
Échangeant l'espoir et la créativité,
Qui naissent de nos âmes, comme les vagues
d'un océan,
Pourquoi êtes-vous partis? le monde n'a pas
compris,

Ne ferme pas la porte, nous sommes là, Charlie,

Ne fermez pas la porte, nous sommes là, amis
La liberté nous sourit, vous êtes partis,
Un matin, des terroristes l'ont décidé, ainsi.
Aujourd'hui, j'ai décidé d'écrire sur le vent,
Avec mes crayons brisés, des messages apaisants,
Des paroles de fraternité, d'égalité, de solidarité,
Aujourd'hui, sans caricaturer, j'écrirai sur le
temps,
Avec vos crayons brisés, en lettres d'or et d'argent
les noms de ceux qui déjà nous manquent
cruellement,
Aujourd'hui, je deviens, ne serait-ce qu'un
instant,

Gendarmes, policiers ou bien encore juif et musulman,

Ne ferme pas la porte, nous sommes là, Charlie,

Ne fermez pas la porte, nous sommes là, amis
La liberté nous sourit, vous êtes partis,
Un matin, des terroristes l'ont décidé, ainsi.
Les étoiles brillent sans fin dans le cœur des humains
Et les crayons même cassés esquissent la vie, c'est certain.

Claude Cognard
Écrivain

Mon cher Charlie

Permets moi pour commencer de te tutoyer dans les lignes qui vont suivre. Tu ne me connais pas mais j'ai l'impression de mon côté que tu as toujours fait partie de ma vie. Je ne suis pas le seul bien évidemment à ressentir cela et j'espère que tu ne me tiendras pas rigueur pour cette initiative qui n'a rien d'irrespectueuse. Mais à chaque fois que j'ai pensé à toi depuis que je suis tout petit, je ne t'ai jamais vouvoyé et je ne vois pas pourquoi je devrais commencer aujourd'hui.

Comme pour la mort de Claude François ou pour le 11 Septembre, je revois exactement l'endroit où je me trouvais lorsque j'ai appris l'évènement tragique te concernant et qui a bousculé tant de monde. Aujourd'hui, je ressens une envie très forte de faire quelque chose de particulier et je voulais t'en faire part. Je pense que tu m'entends de là où tu es.

Voilà! Je voudrais que tu saches que si je le pouvais, je prendrais du recul quelques temps pour m'extraire de cette société qui va mal afin de m'isoler quelques jours ou plusieurs mois peut-être!

Pour bien faire, je voudrais ne plus pouvoir bouger, rester alité mais sans souffrir vraiment, sans sondes accrochées partout sur ma carcasse, sans l'attirail qui inquièterait les rares visiteurs, — je pense à ceux qui s'armeraient de courage sous les néons blafards des longs couloirs d'hôpital pour me rendre visite alors que s'ils avaient le choix… Je n'aurais pas de téléphone, encore moins internet et *Facebook*, juste du papier et un crayon. Pour que mon isolement soit crédible, je voudrais qu'il me soit arrivé un truc inhabituel, je veux dire un truc inhabituel pour moi mais qui serait banal pour le commun des mortels! Si ça pouvait être une saleté de virus? Ou une vilaine blessure peut-être! Un de ces accidents de la vie idiots, dont on a presque honte parce qu'on se demande encore comment ça a pu nous arriver… Tout pourvu que je reste en vie, sinon il n'y aurait pas de suite à ce que je vais te raconter!

Je ne cherche pas à me rendre intéressant puisque personne ne serait mis au courant de ce qui m'est arrivé, à part quelques proches. Et encore, le moins possible! Dans ces conditions, je pourrais mieux m'occuper de moi! Ceux qui m'aiment encore un peu me rendraient visite au début, puis je finirais par rester seul. Je pourrais penser uniquement à qui je veux, donnant un bon coup de pied au cul à la routine, merci ma douce fée libertine.

Si j'avais cette chance, – parce que c'en est une de pouvoir prendre du recul et laisser une fois dans sa vie les autres se taper les factures à payer, la belle-mère à se payer et tout le merdier, – je deviendrais artiste. Ou je le redeviendrais! Qui sait qui j'étais dans ma dernière vie… ou la précédente! La vie d'artiste donc, ce serait laisser mes humeurs et mes envies vagabonder librement, un peu comme toi en somme. Pour commencer, je me réincarnerais. Je replongerais dans mes souvenirs de gamins, me disloquerais pour visiter chaque recoin de ma mémoire et reprendrais forme humaine dans une grande bouffée d'oxygène sur un air de Charlie. Oui, je serais toi, ou du moins une partie de toi parce que je viendrais avec mon âme et la tienne… je crains que tu ne sois parti avec.

Je me souviens que c'est mon grand-père qui a commencé à me parler de toi. En fait, il ne me parlait pas directement de toi mais il a tout fait pour que je m'intéresse à toi. C'était lui l'inconditionnel dans la famille, lui qui pouvait revivre comme s'ils les découvraient, les mêmes instants comiques, les mêmes gags et ce, des centaines de fois! Et là, crois-moi, son rire de gamin de plus de quatre-vingts ans perforait l'espace du petit deux-pièces dans lequel il vivait. Je crois qu'il ne captait plus grand-chose autour de lui dans ces moments-là. Je crois bien que rien d'autre ne l'intéressait, il était un peu désabusé depuis longtemps et tu lui faisais du bien.

Quand il était d'humeur et disponible, il plongeait dans ton univers et décollait, bien calé dans son fauteuil, pour de longues minutes, mieux qu'avec un tarpé, mais sans effets secondaires. À côté de lui, je me lançais, du haut de mes dix ou onze ans, à l'assaut des temps modernes et j'avoue que tu m'as régalé de longues heures. Comme j'allais chez mes grands-parents au moment de Noël en général, c'est à cette période de l'année que j'ai pu m'abreuver de ton génie. Le reste du temps à la maison, on écoutait George Zamfir à la flute de pan sur le tourne disque, ce n'était pas vraiment le même genre…

Je me souviens comment Toi Charlie, Toi tout seul, déclenchais des rires francs et sans détours. Tu nous prouvais qu'on avait la liberté de s'amuser et se moquer de tout. Y compris de pires horreurs de l'actualité passée et de celles que tu appréhendais. Tu avais un don unique pour anticiper ce qui pouvait arriver sur cette planète et t'es permis de lancer quelques messages qui sont restées célèbres. Ton esprit caustique n'avait rien de comparable, on ne pouvait que s'inspirer de toi, sans chercher ni réussir à t'égaler.

Mon cher Charlie, tu étais plein de poésie aussi. Si on avait l'œil, une note poétique discrète et raffinée apparaissait à chaque nouvelle planche, un éclairage sur notre monde, – un monde qui peut être rude, brutal parfois et absurde – mais que tu décrivais avec une intelligence dont beaucoup n'avaient pas forcément conscience.

Charlie, tu aimais les femmes, les vénérais je crois. Du moins, c'est l'image que j'avais de toi. Tu devais être gourmand de leur présence. Peut-être en abusais-tu mais comment auraient-elles pu faire pour ne pas succomber à tes charmes ?

Je ne comprenais pas tout quand j'étais gamin, il m'a fallu des lectures répétées pour saisir les subtilités d'un esprit que tout le monde fait semblant de connaître aujourd'hui alors que tu risquais depuis longtemps de franchir la porte des oubliettes. Tu réapparais sous les feux de la rampe, on se targue de t'avoir toujours connu, de profiter de toi et ton esprit libre comme de la protection d'un grand frère. On se sent plus fort parce que tu l'étais, ultime illusion dans un monde un peu plus lâche chaque jour.

J'admets que parfois ton humour m'a lassé, je sais que peu parmi mes amis t'aimaient autant que moi. La tentation de me détourner de toi a été très forte, je crois bien que je me suis laissé faire quelques temps sous leur influence. Le risque de me sentir ridicule a été tenace quand les autres guidaient mes pas d'adolescents vers d'autres voix, d'autres regards, d'autres amuseurs publics. On écoutait Coluche et Le Luron à la radio, le premier des deux était mon préféré et de loin!

Puis j'ai redécouvert ton univers, celui que je n'avais pas oublié, celui qui m'a fait rire quand j'avais l'âme en peine, celui qui savait rire quand lui aussi était triste, celui qui réconfortait par sa simple présence et qui savait railler les situations les plus ridicules. Tu as certainement vécu des drames tout au long de ton existence mais jamais tu ne t'es plaint. C'est sûrement pour ça que je t'ai toujours admiré!

Je sais à l'heure où j'écris ces lignes que tu n'es pas vraiment mort, que même si au cours de ta carrière, tu t'es parfois inspiré d'autres esprits aussi vifs mais moins illustres que toi – parce qu'ils ont eu moins de chance ou moins de ténacité –, tu as mérité la place que tu as occupée durant ta longue vie.

Pour terminer cette lettre, je dois t'avouer que j'aurais bien aimé que les chaines de télé repassent en ce début d'année 2015, quelques films qui t'ont rendu célèbre, comme c'était le cas il y à près de quarante ans quand j'étais gamin. Mais il semble qu'une autre actualité beaucoup plus dramatique les ait monopolisées durant quelques jours. On a vu aux informations des millions de gens défiler dans les rue de Paris notamment, ça n'était pas arrivé depuis la libération de la Capitale en 1945.

Je me suis renseigné et j'ai appris ce qui est arrivé à ton homonyme près de la place de la Bastille le 7 janvier dernier. C'est horrible! Je ne pensais pas que les artistes étaient des gens dangereux qu'il fallait empêcher de s'exprimer et les éliminant sauvagement avec des armes de guerre. Je ne peux pas exprimer tout le dégoût que j'ai pu ressentir lorsque j'ai appris ce drame. Je ne m'en suis pas remis et ne pourrai jamais comprendre une telle barbarie. Même, et surtout pas, au nom d'une religion.

Oui, si je le pouvais, je prendrais du recul quelques temps pour m'extraire de cette société qui va mal et je sais maintenant que je resterais isolé très longtemps!

Je vais faire un tour du côté de ma médiathèque, ils doivent bien pouvoir me louer un des tes chefs-d'œuvre pour tenter de retrouver le sourire.

À très bientôt donc mon cher Charlie Chaplin!

Sylvain Boes
Écrivain

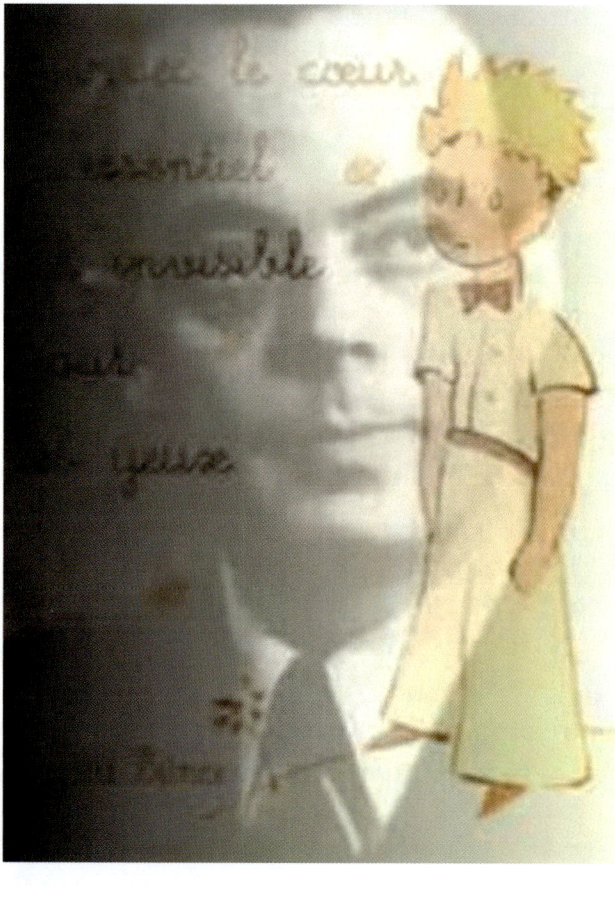

Que dirait saint-Ex ?

J'ai peur qu'avec tout ce qu'il se passe dans le
monde,
Le prince de Saint-Ex tombe,
Que sous les bombes son regard devienne plus
sombre,
J'ai peur des nuits trop longues,
J'ai peur qu'après la pluie ne revienne jamais le
beau temps,
Que sous les vents le prince règne en abdiquant
J'ai peur des nuits trop lourdes,
Et j'ai peur qu'avec tout ce qu'on nous fait
souffrir,

Saint-Ex brûle son livre,
Et que si la mitraille a raison des crayons,
Le prince ne soit plus libre,
Oui mais après la peur viennent le courage et
puis l'amour,

Pour que jamais les bombes son regard n'inondent,
Après la nuit, le jour.

Est-ce qu'un jour les grandes personnes comprendront ça ?
Est-ce que le prince vivra ?
Est-ce qu'un jour les chapeaux s'changeront en boas ?

Est-ce que Saint-Ex dira :
« J'ai peur qu'après la pluie ne revienne jamais le beau temps,
Que sous les vents le prince règne en abdiquant,
J'ai peur des nuits trop lourdes,
Que sous les bombes son regard devienne plus sombre,
J'ai peur des nuits trop longues » ?

Jane L'her
Écrivain

Plume

Plume asséchée par l'effroi,
Encre qui ne trouve plus ses mots.
Plume arrachée d'un oiseau de liberté
Par le sang versé, au sol s'est figée.
Et pourtant elle va renaître
Avec papier comme fenêtre.
Ouverte en grand sur l'horizon,
La liberté de l'expression.

Philippe Urvoy De Closmadeuc
Écrivain

Alarmes

Larmes contre armes
Deuil de feuilles
L'arbre du peuple y est…
Ne pas plier
Franches branches
Émotions et Nation
Moisson de maisons
Maison ivre de livres
Comment vivre ?
Sans crayons, crions…
En terre les amis
L'arrêt public
Neige blanche
Beige et rouge
Couleurs d'ardeur
Bouge, bouge, bouge
Un jour pour toujours
Malheur veilleur

Meilleur bonheur
Vite, vite je pleure
Mes larmes de neige
Le bonheur : Tout à l'heure, tout à l'heure...

Gérard Muller
Poète

Non Luz t'es pas tout seul

T'arrêtes pas de pleurer
Et montre bien au monde
Que maint'nant on y veille
Que maint'nant elle gronde
Notre chère liberté
Non, Luz, t'es pas tout seul
Nous aussi on a honte
D'avoir négligé ça
Bêtement devant tout l'monde
Mais tu vas voir, demain,
On va lever nos poings
Non, Luz, t'es pas tout seul
Et tu sais, tu vas voir,
On f'ra que ça s'arrête
On f'ra qu'il f'ra plus noir
Viens, Luz, viens, viens, viens !

Viens, on restera debout
On brandira l'espoir
Tu vois, les cœurs se lèvent
Viens, Luz, viens
Viens, on formera un tout
Et si c'est pas assez
Ben il nous rest'ra nos rêves
Puis on ira soigner
Les symboles qui s'effritent
Nos valeurs dégringolent
Mais les esprits s'agitent
Et si t'es encore triste
On ira voir tes potes
On les r'f'ra dessiner
Pour qu'ils soient immortels
On r'trouv'ra bien des gens
Pour rendre les gens heureux
Comme des beaucoup plus jeunes
Comme une armée de géants
À partir d'maint'nant

Non, Luz, t'es pas tout seul
Regarde la populace
La rage dans ses mots
Fais bouger sa carcasse
Je sais qu't'as le cœur gros
Mais il faut le soulever, Luz
Non Luz t'es pas tout seul

T'arrête pas de sangloter
Arrête pas de répéter
Qu'on mérite nos idéaux
Qu'on doit les défendre
Non, Luz, t'es pas tout seul
On prend ta plume ce soir
Pour que tu voies
Que les gens viennent te voir
Viens, Luz, allez viens, viens!

Viens, tu seras notre phare
Notre Charlie à nous
Le monde s'affole
Luz, viens, viens
C'est pas une chasse à l'homme
Qui nous veng'ra d'tout ça
Ça se passe à l'école
Luz,
Puis on s'trouvera du temps
On s'moqu'ra de leur cirque
Qui nous fait pas trembler, tu sais
On est tous ton équipe
Luz, viens
Et si t'es encore triste
Ou rien qu'si t'en as l'air
On t'montrera comment
On se laiss'ra plus faire
Y s'ront bien, tous, là-haut

À resserrer nos rangs
Y s'ront encore plus beaux
Luz,
Ils vont guider le vent
De nos vies, ces héros

Allez viens Luz, viens
Ouais! Ouais, Luz, ouais, viens!

Jane L'her
Écrivain

Caroline Cohen est une fervente admiratrice de Madonna

Non Luz t'es pas tout seul

Bonjour

Je m'appelle Madonna, moi aussi et j'habite en Inde.

I want to tell you about Yoga which is well known for Indian Acient Yoga. But nowadays all the instructers of yoga, They do command for doing Yoga like physical exercise only but real Indian Yoga is based on Siddha Yoga which is explained in Holy book GEETA.

I want to also let you know that there are two types of YOGA: 1. Siddha Yoga and 2.Hata Yoga

First we talk about Hata Yoga, it is simply means

the instructers of Yoga give the order from the outside it is called Hata Yoga.

BUT listen carefully and open your ears

Which is going to discribe about Siddha Yoga, is discribed in Holy book Geeta, Which is already proved. You never heard before:

By The Siddha Yoga, each and every diseases is curable which Science ignored: Like Aids, Cancer, Diabetes, Asthma, Hepatitis, Arthritis, Mental diseases, Physical diseases etc.

The Siddha Yoga Means The Yoga which happens automatically in our body, we can not do ourself,

In our body there is a POWER name is KUNDLINI: (MOTHER OF UNIVERSE) awakens by The Guru and start yogic movement automatically.

It is given free by the Guru.

For more details

Visit:
www.takeadrinkwithmadonna.com

Caroline Cohen
Écrivain et metteur en scène

Je voudrais boire un verre avec marine

Hey Marine, just seat down on this Chair, I prepare the Drink.

After the drink with Madonna

But Serge Gainsbourg sings « five easy pisseuses »
I thought they were SEVEN.
Because I'm' just like a virgin after a drink with M.

L'oiseau blessé

L'oiseau blessé par tant de haine
Pour s'envoler à trop de peine
Devant ce monde décadent
Il rêve tant au firmament !

Cette violence lui interdit
D'ouvrir ces ailes en pleine nuit,
Dans son envol il est bloqué
Par tous ces attentats insensés !

L'oiseau blessé par tant de haine
Pour s'envoler à trop de peine
Devant ce monde décadent
Il rêve tant au firmament !

Cette colombe de la Paix
Rêve d'amour et d'amitié
De guerres en guerres elle est blessée
Mais sait qu'il peut y arriver !

L'oiseau blessé par tant de haine
Pour s'envoler à trop de peine
Devant ce monde décadent
Il rêve tant au firmament !

L'amour se répandra sur terre
Abolissant cette misère
L'oiseau blessé nous a tracé
Le chemin menant à la Paix !

L'oiseau blessé par tant de haine
Peut s'envoler sans trop de peine,
Devant ce monde décadent
Il a trouvé le firmament.

Serge Lainé
Poète

Mon Frère,

Mon frère, si tu savais combien j'ai mal pour toi aujourd'hui, toi et ta belle religion ainsi souillée, humiliée, montrée du doigt. Oubliés ta force, ton énergie, ton humour, ton cœur, ta fraternité. C'est injuste et l'on va ensemble réparer cette injustice. On est des millions à t'aimer et on va tous t'aider. Commençons par le commencement. Quelle est la société que l'on te propose ?

Basée sur l'argent, le profit, la ségrégation, le racisme. Dans certaines banlieues, le chômage des moins de 25 ans atteint 50 %. On t'écarte pour ta couleur ou ton prénom. On te contrôle dix fois par jour, on t'entasse dans des barres d'immeubles et personne ne te représente. Qui peut vivre et s'épanouir dans de telles conditions ? Attachez un enfant ou un animal, sans nourriture et sans affection pendant des mois, il finira par tuer n'importe qui.

On fait passer le profit avant toute chose. On coupe et vend le bois du pommier et après on s'étonne de ne plus avoir de fruit. Le vrai problème est là, et c'est à nous tous de le résoudre.

J'en appelle aux puissants, aux grands patrons, à tous les dirigeants. Aidez cette jeunesse, humiliée, atrophiée qui ne demande qu'à faire partie de la société. L'économie est au service de l'homme et non pas l'inverse. Faire du bien est le plus beau des profits. Chers puissants, vous avez des enfants ? Vous les aimez ? Que voulez-vous leur laisser ? Du pognon ? Pourquoi pas un monde plus juste ? C'est ce qui rendrait vos enfants les plus fiers de vous.

On ne peut pas construire son bonheur sur le malheur des autres. Ce n'est ni chrétien, ni juif, ni musulman. C'est juste égoïste, et ça entraîne notre société et notre planète droit dans le mur. Voilà le travail que nous avons à faire dès aujourd'hui pour honorer nos morts.

Et toi mon frère, tu as aussi du boulot. Comment changer cette société qu'on te propose ? En bossant, en étudiant, en prenant un crayon plutôt qu'une kalach'. La démocratie a ça de bien qu'elle t'offre des outils nobles pour te défendre. Prends ton destin en main, prends le pouvoir.

Ça coûte 250 euros pour t'acheter une kalachnikov mais c'est à peine 3 euros pour t'acheter un stylo, et ta réponse peut avoir mille fois plus d'impact.

Prends le pouvoir et joue avec les règles. Prends le pouvoir démocratiquement, aide tous tes frères. Le terrorisme ne gagnera jamais. L'histoire est là pour le prouver. Et la belle image du martyr marche dans les deux sens. Aujourd'hui il y a mille Cabu et mille Wolinski qui viennent de naître. Prends le pouvoir, et ne laisse personne prendre le pouvoir sur toi. Sache que ces deux frères sanglants d'aujourd'hui ne sont pas les tiens, et nous le savons tous.

Ce n'étaient tout au plus que deux faibles d'esprit, abandonnés par la société puis abusés par un prédicateur qui leur a vendu l'éternité… Les prédicateurs radicaux qui font leur business et jouent de ton malheur n'ont aucune bonne intention. Ils se servent de ta religion à leur seul avantage. C'est leur business, leur petite entreprise. Demain, mon frère, nous serons plus forts, plus liés, plus solidaires. Je te le promets.

Mais aujourd'hui, mon frère, je pleure avec toi.

Luc Besson
Cinéaste

Ne vous demandez pas pourquoi les gens deviennent fous. Demandez-vous pourquoi ils ne le deviennent pas.

Hommes parmi les hommes

Les hommes ont des rêves plantés dans leurs cœurs et leurs esprits. Ils les arrosent de leurs espoirs et leurs idéaux. Ce sont des forces cachées et lumineuses, ressemblant aux étoiles, et qui nous servent de guides tout au long de la vie. Comme les astres, leurs lumières perdent de leur éclat à mesure que le temps passe. Certains hommes protègent et cultivent ces aspirations mêlant le réel et l'imaginaire pour affronter le monde, le nommer et le comprendre. D'autres, en revanche, se plient à la première difficulté que le destin leur glisse sur le chemin, se mettent à s'y complaire dans l'obscurité, et sans prendre garde, voient petit à petit leurs astres ternir et le sens de l'existence disparaître. Ils perdent en eux tout ce que la vie peut offrir de beau et se contente d'attendre que les choses passent et la fin arriver.

Les hommes ont des idées, et le monde en regorge de toutes sortes. Petits, nous prêtons celles des autres, celles des adultes qui nous entourent, à défaut de pouvoir construire les nôtres. Nous reprenons ces idée, nous les intériorisons et mémorisons tant elles ne viennent de nos proches, des gens que nous aimons. Les enfants sont innocents, mais les idées ne le sont point. Mettre des idées dans la tête d'un enfant, c'est comme mettre des armes dans ses mains, nous ne saurons l'usage qu'il en fera. Des idées d'apparences généreuses et séduisantes peuvent corrompre les esprits et devenir dangereuses. Elles ne sont pas à mettre dans toutes les têtes. D'autres encore simplistes et schématiques s'avèrent de véritables fléaux gangrénant des franges entières de population. Quand certains hommes se murent dans l'assourdissant mutisme du langage, d'autres en font un terrain de combat et les idées sont leur fer de lance.

Les hommes ont la faculté de langage. C'est un instrument de communication et d'expression, il est divers et protéiforme. Chacun s'en sert à sa manière. C'est un trésor commun et social où chaque sujet-parlant peut puiser pour ses propres besoins de création. La création verbale mobilise le sensible, l'intelligible, le rationnel et l'imaginaire, et tout homme, grâce et à travers le langage, devient un créateur en puissance, joue des frontière entre la fiction et la réalité, entre le tangible et l'invisible, la raison et la folie, mobilisant sa raison et son imagination. L'imagination est l'acte par lequel l'homme met le monde entre parenthèse pour laisser gouverner sa liberté créatrice. L'homme de langage est aussi l'homme de l'imaginaire, l'homme créateur, l'homme libre.

Les hommes ont des sentiments, et qui naît d'amour commence bien sa vie. Les plus violents d'entre eux, bien qu'ils s'adoucissent avec l'âge, sont bien évidemment l'amour et son pendant, la haine. Quand l'amour est divers (amour maternel/paternel, amour passion, amitié, amour platonique…), la haine est «une». Ainsi, nous vouons, quand tout se passe bien, un amour tendre et affectueux qui peut durer éternellement, à ses parents, à ses grands-parents et ses frères et sœurs. À l'adolescence, un peu avant ou un peu après, les sentiments deviennent violents. La raison démissionne, laissant place aux émotions qui nous gouvernent. Avec l'âge, le feu ardent s'estompe, laissant place à une douce souffrance. Quant à la haine, elle se conjugue à toutes les sauces, ça va de la haine de soi à celle du voisin, d'une ethnie, d'une race entière, voire celle des hommes (misanthropie, par exemple). S'agrègent à ces deux sentiments d'autres, en corrélation, comme l'affection, la tendresse, l'angoisse, la colère…

Les hommes ont des peurs. Peur du noir (la

nuit), du vide, peur des animaux, des espaces exigus ou publics, de prendre l'avion ou le train, etc., Mais ils peuvent également avoir peur de l'avenir ou de leur conscience ou de la liberté et cela s'appelle l'angoisse. L'homme devant sa liberté est un homme angoissé. L'homme peut aussi avoir peur de lui-même ou d'un autre homme, ce qui revient au même. Haïr un homme n'est ce pas, quelque part, se haïr un peu soi-même ? Ou alors, il faut s'extraire de la condition humaine. La peur de l'autre, de l'inconnu, de l'étranger, voilà une peur qui paralyse ou interdit l'altérité, qui altère les relations humaines (contacts et échanges entre les hommes). Mais la peur, bien qu'elle puisse être dangereuse, peut également être bénéfique pour l'homme qui s'en sert à bon escient. Elle peut être une merveilleuse machine motivante qui nous pousse à aller de l'avant, à nous dépasser, et nous vivons comme si nous étions poursuivis par une ombre qui nous oblige à nous dépasser en toute circonstance.

Parmi les hommes, nous pouvons distinguer ceux que nous pouvons nommer les hommes-vigiles et dont font partie les Hommes de Charlie. C'est des sentinelles qui veillent sur nos consciences. Dès que nous baissons la garde, ils nous alertent. Dès que nous nous trompons, ils nous aident à retrouver le chemin de la raison. Ils sont (étaient) lucides et voient nos tares et nos errements. Ils bousculent nos certitudes et nous poussent incessamment à nous remettre en questions, à réviser nos jugements, à ouvrir nos yeux et nos esprits sur les injustices et les travers du monde, de la cruauté de certains hommes, de l'impuissance des autres. C'est surtout des hommes qui ne transigent jamais avec les principes démocratiques de liberté d'égalité et de fraternité, qui sont les nôtres, quitte à payer un lourd tribu, à donner sa vie pour défendre une idée, un idéal de vie, de société, une conception élevée de l'homme.

Massinissa Nait Sidenas
Écrivain

Dis-leur

Ô Charlie, si tu savais tout le mal qu'ils continuent à faire, les fous d'un Dieu odieux. Tout le mal qui continue à se faire un peu partout, « là-bas » et en nous, au nom d'eux.

Ils ont cassé des statues millénaires au bulldozer. Oui, tu entends bien, au bulldozer. À fond entrer dans la beauté… comme dans le ventre d'une maman. Écarteler, massacrer. Détruire les images, les représentations, le sacré, ouais tout à raser. Pour faire renaître quoi, dis-moi, à la place… des prisons ?

Le sacré tu t'en fous, oui je sais, mais c'était pas tout à fait que des cailloux, ils détruisent aussi un peu quelque chose en nous…

Oui, à chaque fois qu'une nouvelle incroyable arrive tu sais, du genre extermination d'un village, attentat dans un marché, lapidation, je t'en passe et veux en oublier, l'important, ce que je veux te dire, puisque tu as tout le temps de réfléchir là où tu es – veinard, tu vas échapper à un grand merdier! Tu vois, même le jour où j'écris, l'éclipse n'est même pas venue, elle a eu trop peur d'être mal accueillie, elle aussi, des fois qu'on lui demande ses papiers!

Du coup, elle nous a envoyé que des pics de pollution et du *gris gris gris* en guise de *turlututu chapeau pointu* – oui, ce détour pour te dire qu'à chaque nouvelle exaction de ces *chreneuremurcks*, je vois des dos qui se voûtent, des bouches qui s'occultent ou éructent, chaque jour un peu plus. Partout, tu sais. Dans les villes, les villages. Les bords de mer, les bars, les salons, les coins de rues.

Ici aussi. Oui. « Ici aussi ».

De là-haut, tu dois nous prendre pour de tristes crapauds, chacun isolé sur son nénuphar, essayant de sauver sa peau et au moindre coup de Trafalgar, bavant de peur, prêt à se jeter à l'eau… Dans des eaux troubles et noires qu'on pensait dépassées. Loin retirées dans les zones sombres du passé. Bah non, au fin fond des campagnes, la peur gagne aussi.

Et la peur pense représailles, et la peur passe au Front de plus en plus fort. Le Front, le seul Albator possible contre les poseurs de mort. Contre tous les mauvais sorts qu'ils disent.

Ils y croient dur et fort, tu sais.

Tu les reconnaîtrais plus tes «unissons!». Le soufflé est bien retombé. Quasi tous au terrier, recroquevillés. Et puis au fil des jours, des doutes, des abandons, des trahisons…. Tu le savais déjà tout ça, je crois, même si de nouveaux souffles se sont ralliés à la cause des libertés, ça laisse un drôle de goût au fond du palais, un drôle de truc qui veut pas passer...

Alors, toi qui as pris un peu de recul, depuis deux mois et plus, sors de ton roupillon, prends ton céleste crayon et dis-leur que c'est pas vrai. Dis-leur à ta façon avec tes images et tes mots gros, envoie-leur un essaim de papillons ou de jolies filles mais dis-leur, s'il te plaît, toi ils te croiront.

Camille Arman
Écrivain

Libres et ego

Fraternité meurtrie, Paternité viciée
L'éternité s'amuse de notre vanité !
Nous sommes humains et libres ou feignons de
le croire,
J'en sais un là, qui crie plus que les autres
certains soirs !
Des fous de Dieu sans têtes, les fous de Dieu
s'achètent,
Et on reçoit leur haine, les yeux à fleur de larmes.
L'un joue avec la chance, l'un est encore debout,
Pleurs inaudibles et vains au fond de leur tanière.
C'est la nouvelle année, il fait plus froid qu'hier,
Ciel bas sur fond hiver élimine ses enfants.
Serait-on plus joyeux si on n'avait rien su ?

Ce n'était pas leur jour et c'est bien mieux
comme ça !
J'en devine qui regrettent de n'être point héros !

Mais ce n'est pas par choix, il faut juste être là
Lorsque la peur s'invite au festin des tyrans !
Nos icônes bien vivantes, leurs bons mots
entachés
Toutes seront exemptées des rides grimaçantes,
Qui vont accompagner des armées d'innocents.
Le malin maudira les absents certainement,
Nos âmes maudiront les absents, certaines
mentent !

Tenter de reprendre le cours de si peu de choses,
Il devrait s'arrêter quand on l'a décidé.
Une voix d'or nous conduit, on chante de gués
en gués,
Les bonnes fées pleurent aussi, ne veulent pas
nous perdre,

Mais au chemin fragile et ses pièges cruels,
Que peuvent-elles opposer au sort qui est jeté ?
Souvenirs d'un 'avant', ou l'attente d'un 'après'
Mais c'est ce jour qui compte, au soleil
nonchalant,
Aux orages torturés, filets de brume d'azur,
Et de l'air qu'on choisit comme unique présent !
On ne sait si le merle aimera encore sa belle,
Ou sera-t-il en proie à plus aimant que lui !
Et deviner la peine d'une âme se consumant,
Toi la belle inconnue, voilée à tout jamais,
Tout semblerait parfait sous chacun de tes pas,

Rêve ta liberté, c'est sûr un jour viendra.

Sylvain Boes
Écrivain

Je suis...

Naji Al-Ali
Salvador Allende
Safia Amajan
Begnino Aquino
Jeanne d'Arc
Mehdi Ben Barka
Chokri Belaïd
Benazir Bhutto
Amilcar Cabral
Jean Calas
James Connolly
Sakine Cansiz
Henri Curiel
Robert Desnos
Marx Dormoy
Giovanni Falcone
Daniel Féry

Michel Germaneau
Mahatma Gandhi
Louis Girard
Brahim Guerroui
Che Guevara
Tiberius et Caius Sempronius Gracchus
Max Jacob
Victor Jara
Jean Jaurès
John et Robert Kennedy
John Lennon
Federico Garcia Lorca
Patrice Lumumba
Martin Luther King
Rosa Luxembourg
Robert Lynen
Camille Claudel
Georges Mandel
Etienne Marcel
Lounès Matoub
Vsevolod Meyerhold
Guy Moquet
Florence Artaud
Thomas More
Jean Moulin
Thomas Müntzer
Malik Oussekine

Pierre Overney
Pier Paolo Pasolini
Anna Politkovskaïa
Hector Pietersen
François Renaud
Maximilien Robespierre
Monseigneur Oscar Romero
Ethel et Julius Rosenberg
Shaimaa el-Sabbagh
Bobby Sands
Sophie Scholl
Dulcie September
Spartacus
Reeva Steenkamp
Jean Tenenbaum
Jean-Marie Tjibaou
Sacco et Vanzetti
Eugène Varlin
Malcolm X
Emiliano Zapata
Jean Zay
Émile Zola

Je suis 11 septembre, 11 janvier et 11 mars
Je suis 14 Juillet et nuit du 04 août
Je suis Stalingrad et Normandie
Je suis Valmy et commune de Paris
Je suis Guernica et Nagasaki

Je suis toute pierre
Aujourd'hui, demain, hier
Je suis toute fleur
abeille et miel
toute couleur
tout arc-en-ciel
Ru, ruisseau, rivière ou fleuve
Je construis un chemin qui m'emmène,
me démène, me mène et me ramène
Pour toute langue, je suis Villers-Cotterêts
France, Europe et monde
Pour la grande ronde

Je suis...
Georges Wolinski
Bernard Maris
Tignous
Charb
Cabu...

Je suis...
Liberté
Égalité
Fraternité

Je suis...

Afghan, Indonésien, Irakien, Rwandais, Syrien,

Yéménite, Zaïrois...
Je suis chaque lettre de l'alphabet
Avec chaque rayon du soleil
Je tricoterai le manteau humain

JE SUIS

...Je suis Gérard Muller
Poète

Et maintenant?

Après les drames des 7, 8,9, janvier et l'immense manifestation unitaire du 11 janvier (Il faut dire ici comment la mobilisation s'est faite dans les grandes villes mais aussi dans les petites), il nous revient de réfléchir ensemble et d'agir. Les manifestants se comptent par millions, chacun venu avec sa colère, sa peine mais aussi une envie de fraternité, de République, de liberté. Mais certains français n'ont pas été Charlie. Ils nous servent à nouveau le «deux poids deux mesures «et affirment que les citoyens musulmans seraient moins bien protégés par la justice, les médias et les politiques que… les juifs. Et d'affirmer que Charlie pouvait caricaturer le prophète alors que Dieudonné était poursuivi par la justice. Précisons qu'il y eut nombre de procès intentés contre Charlie et que la justice ne leur a pas toujours donné raison: en 2006, le tribunal avait estimé qu'en dépit du caractère choquant, voire blessant des caricatures pour la sensibilité des musulmans, les circonstances   de la publication apparaissaient exclusives de « *toute volonté délibérée d'offenser directement et gratuitement l'ensemble des musulmans*» mais surtout Charlie visait une idéologie (religieuse ou non), alors que Dieudonné vise une communauté – argumentation du TGI de Paris –. Aucune loi n'organise le droit à l'humour, mais Dieudonné s'attaque à des personnes comme par exemple Patrick Cohen de France inter (Il vient d'être condamné pour cela), alors que Charlie s'en prend à des religions et à des institutions. Comme l'a dit le premier ministre : «*Il y a une différence fondamentale entre la liberté d'impertinence et l'antisémitisme, le racisme, l'apologie du terrorisme, le négationnisme qui sont des délits, des crimes que la justice devra sans doute punir avec encore plus de sévérité*»

Cela dit, le parcours des frères Kouachi et d'Amedy Coulibaly signe un échec de la république et de tous ceux qui comme nous militent pour le respect des droits de l'homme. D'où la mobilisation du gouvernement et des institutions pour tenter de mieux assurer la sécurité de tous mais aussi la large concertation engagée pour que l'éducation nationale transmette mieux les valeurs de la République. Nous devons y contribuer de toutes nos forces en participant plus qu'hier à la formation des enseignants et de leurs formateurs.

Najat Vallaud-Belkacem se propose de réformer la carte scolaire pour plus de mixité sociale et de promouvoir des mesures en faveur de plus de laïcité à l'école. Nous resterons vigilants : ces mesures doivent se concrétiser.

Nous nous battons pour qu'on introduise les injures racistes dans le code pénal (aujourd'hui elles figurent seulement dans la loi sur la presse) : les poursuites seront beaucoup plus efficaces. Le délai pour agir sera plus long ce qui permettra à l'enquête d'avancer sereinement.

Le gouvernement a lancé son site « anti-djihad »; à nous aussi d'améliorer nos interventions sur le net.

Enfin l'idée d'un service civique étendu, non obligatoire, fait son chemin. Tout dépendra des moyens humains et financiers qui seront injectés dans ce projet.

Mais la France n'est pas le seul lieu de manœuvre des islamistes : Après le Danemark, après la Belgique, la Tunisie est frappée. Pour ne rien dire des crimes commis en Irak, au Nigéria, au Cameroun, au Mali. Nous devons faire renaître une internationale militante de défense citoyenne. C'est le monde entier qui doit se mobiliser contre les extrémistes qui veulent nous terroriser au nom d'une religion qui n'a pas grand chose à voir avec l'Islam. Ensemble condamnons l'hydre islamiste; affirmons avec force nos valeurs démocratiques et citoyennes!

Tout cela contribuera à une saine riposte à l'attaque que nous avons subie. Il faut ensemble l'amplifier!

Antoine Spire
Écrivain

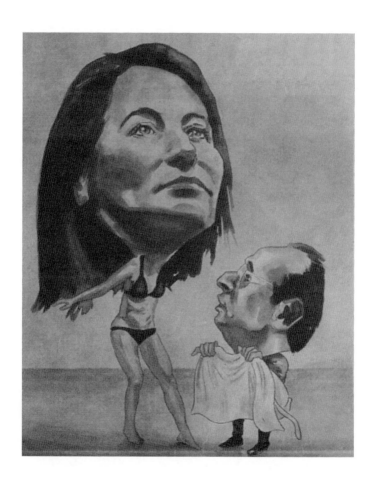

En direct de Mexico

Je n'ai jamais vu personne avec son Charlie sous le bras, quand j'habitais en France. Pendant ces années d'exil volontaire, j'étais probablement le seul connard qui dépensait ses sous en l'achetant chez le marchand de journaux du quartier. J'ai toujours été un passionné du dessin de presse et comme vous pouvez bien l'imaginer, dès mon arrivé sur le territoire français, en 2002, j'ai commencé à collectionner des magazines et journaux humoristiques, des plus bêtes aux plus acides. Charlie Hebdo trouva rapidement sa place parmi mes favoris. Enfin, me disais-je, j'avais trouvé un journal qui donnait à la caricature, au dessin satirique, une place d'honneur.

Au Mexique, ça n'existe pas : toute la presse est fade, sans esprit.

Mais bon, je ne suis pas venu vous parler de mon parcours personnel.

Ce qui m'amène aujourd'hui devant vous c'est cette pulsion irrépressible – comme si, de devoir moral il s'agissait – de lever la voix contre ces abrutis, dans tous les pays, dans toutes les langues, qui n'arrêtent pas de dire que, bien sûr, ils condamnent le terrorisme mais que hélas, Charlie n'était qu'un pamphlet raciste, misogyne, colonialiste, impérialiste, sioniste, islamophobe (ça va de soi), et bien d'autres âneries ; le tout prononcé avec cette arrogance que l'ignorance octroie.

De par leur mauvaise foi, il n'est pas farfelu de dire que cette tragédie a plu aux donneurs de leçons. J'ai eu l'opportunité de rencontrer les macabéens, ces dessinateurs malheureux, devenus contre leur gré martyrs de la liberté d'expression, et je peux vous dire, preuves à l'appui, que tous ces adjectifs que les bonnes âmes politiquement correctes – sentimentales jusqu'à l'insolence – veulent attribuer à mes caricaturistes chéris, ne sont que des mensonges.

Il m'a toujours semblé que le journalisme de Charlie avait les couilles que d'autres n'ont pas pour défendre les valeurs républicaines, laïcité comprise, dans un pays où il est considéré ringard tout ce qui pourrait heurter la sensibilité des minorités ou même égratigner cet idéal de société multiculturelle où nous serions tous très heureux, tous différents, tous égaux... Égaux dans la pauvreté puisque cette multiculturalité ne se voit que dans les quartiers les plus démunis. Dans leur désir de construire cette utopie multiethnique, les politiciens français – ainsi qu'une bonne partie de l'élite intellectuelle parisienne – traitent les gens avec des pincettes, comme s'ils voulaient les épargner des expériences traumatiques, et donc ont sacrifié de nombreuses traditions – les meilleures – du pays, en commençant par la liberté de blasphémer. Putain, personne n'a jamais levé le doigt en solidarité envers les Charlie quand ces derniers étaient inondés de procès et qu'ils risquaient gros financièrement. Il a fallu cet attentat pour que tout le monde sorte crier « nous sommes Charlie » et pour que la classe politique française s'approprie d'une manière très opportuniste d'un combat qui n'a jamais été le sien. *Charlie Hebdo* s'est battu quasiment en solo contre les fanatismes, l'intolérance religieuse et la violence machiste qui s'est installé pour de bon dans les banlieues d'immigrants, et qui fait de la vie de milliers de femmes qui veulent sortir du ghetto, un enfer.

J'ai connu Charb en 2007. J'habitais Saint-Denis – ce qui me permettait et continue à me permettre de me plaindre de la multiculturalité – et assistais ponctuellement aux réunions mensuelles de mon Association des Défense des Laïques, Athées et Non-croyants. Cette association fut créée par deux enthousiastes qui, choqués par les concessions *in crescendo* que certaines mairies de France octroyaient en faveur de certaines minorités religieuses, ont décidé de s'organiser pour discuter sur la meilleure façon de faire en sorte que la république retourne à ses sources laïques. Plus d'horaires séparés pour homme et pour femme à la piscine municipale, ni de menu *halal* dans les cantines scolaires, ou de subventions déguisées pour des associations cultuelles, non monsieur! Il fallait défendre l'esprit original de la loi de 1905.

À cette époque-là on parlait toujours des séquelles des émeutes ethniques de 2005, Sarkozy venait tout juste de prendre ses fonctions et *Charlie Hebdo* se défendait en tribunaux dans l'affaire des caricatures de Mahomet. Dans ce contexte-là, mon Association des Défenses des Laïques, Athées et Non-croyants a cru bon inviter les collaborateurs de *Charlie Hebdo* pour parler sur ce procès en cours ainsi que sur d'autres sujets brûlants liés à la laïcité. Charb et Liliane Roudière ont répondu à cet appel.

Les réunions de mon association étaient une sorte d'observatoire de la laïcité dans lequel nous analysions des événements nationaux et internationaux d'intérêt. Nous recevions des invités VIP comme l'écrivain Jocelyn Bézecourt qui est venu présenter plusieurs de ses livres et a animé des débats sur le Pape, le Vatican et le catholicisme en général. Comme vous le constatez, il n'y avait pas de discrimination chez nous, toutes les religions passaient à la casserole.

L'exposé de Charb et Liliane s'est centré sur la liberté de la presse face aux religions. La ligne éditoriale de Charlie était très claire : dans une république laïque il n'y a pas de place pour ce qui est sacré ; représenter quelque chose ou une personne c'est la base du langage.

Après la présentation nous avons invité Charb et Liliane à prendre un verre, occasion que j'ai profité pour leur poser quelques questions ; je voulais en savoir d'avantage sur la vie à l'intérieur de *Charlie Hebdo*. Charb était préoccupé que le combat de l'hebdomadaire contre l'islamisme soit mal interprété : d'un côté, ils étaient conscients qu'en défendant la laïcité comme ils le faisaient, ils risquaient que la gauche, soi-disant allié, les accuse de racisme ; et de l'autre, ils craignaient que l'extrême droite utilise la position de *Charlie Hebdo* pour justifier la xénophobie. « Nous ne voulons pas ces cons près de nous » m'a dit Charb en parlant du Front National. De par sa manière de s'exprimer, j'ai eu l'impression que Charb était un homme à convictions. « *Vous savez, les gens pensent que nous avons une fixation sur l'islam car c'est ce que les médias montrent, mais à vraie dire, nous consacrons plus de pages au Pape qu'à Mahomet. En fait, presque tous nos procès ont été lancés par des fondamentalistes chrétiens. Ils nous accusent de blasphème et racisme anti-blanc. Le blasphème, c'est vrai, mais cela ne constitue pas un crime. Nous avons gagné tous les procès* ». Et puis il m'a remis un numéro spécial, Charlie Blasphème, qui attaque à part égale les extrémistes des cathédrales, des synagogues et des minarets.

La conversation avec Charb pouvait durer des heures donc il m'a offert de la continuer avec les autres caricaturistes aux bureaux de Charlie. Étant caricaturiste moi-même, j'ai sauté sur l'occasion et je me suis pointé à la rédac un jour d'octobre. J'ai pris avec moi quelques échantillons de mon travail publié dans *Milenio* (journal mexicain) pour leur montrer. Liliane m'a accueilli et conduit dans un hall où se trouvaient déjà quelques caricaturistes : Cabu, Jul, et bien sûr, Charb, qui m'a salué comme si on se connaissait depuis toujours. *Charlie Hebdo* ouvrait souvent ses portes à ceux qui voulaient voir de près le travail de la rédaction. Ce jour-là il y avait aussi deux étudiants et une journaliste anglaise, ou amerloque, j'sais plus. Tout de suite ils nous ont placés dans la salle de travail et nous avons pu assister au *briefing* entre journalistes et dessinateurs.

Je n'avais jamais vu autant de talent ensemble : il y avait les légendes Wolinski et Cabu, et mon préféré, Honoré ; et aussi les chevronnés même si encore jeunes, Tignous, Luz et Riss, et Catherine. Également parti de la réunion était la journaliste Luce Lapin et d'autres personnes dont je me souviens peu. Philippe Val était une sorte de boss cool, exigeant mais juste. Le sujet de la semaine tournait autour de la proposition du député Marianni d'exiger des échantillons d'ADN aux immigrants afin d'éviter de fausses filiations dans le cadre de demandes de regroupement familial. « Non, dans une république on ne classe pas les gens en fonction de leur sang ! » s'exclama Val. Bien sûr, on ne pouvait pas être plus d'accord ; c'était une phrase qui résumait une déclaration de principes contraires au racisme.

Après la réunion, qui fut très courte, j'ai papoté avec les dessinateurs, tous relax, aimables et curieux de savoir que diables faisait un mexicain là avec eux. Je leur ai montré mon travail, mes dessins. Honoré, celui du tracé élégant, commenta « ils sont très bien, très Daumier ». Quelle flatterie ! Je me sentais très à l'aise avec eux. Avant de partir je leur ai posé une question que je supposais cruciale : quelle est la limite ? « Dans l'humour » m'ont-ils dit « tout est permis du moment que ce soit drôle ». Je suis d'accord.

Carlos Perez Bucio
Journaliste au journal Liberia *à Mexico*

THE TIMES OF ISRAEL FRANÇAIS

Pour Marie-Claire, les Juifs assassinés à l'Hyper-Cacher ne sont que des « autres »

11 février 2015, 14:14

L'éditorial du dernier numéro de Marie-Claire ne connait que le 7 janvier 2015 (Charlie) et le 11 janvier (la manifestation). Policière de Montrouge et Juifs assassinés à Vincennes sont des « autres ». Maladresse, banalisation, bêtise ou révélateur de la réduction du Mal au seul monde journalistique?

Un éditorial qui va de Charlie à la République, sans passer par Montrouge ou Vincennes.

Dans sa dernière édition, Marianne Mairesse, rédactrice en chef, signe un éditorial sur la liberté d'expression et le terrorisme. Voici sa conclusion.

« 7 JANVIER 2015 Une partie de l'équipe de *Charlie Hebdo* est assassinée, ainsi que d'autres hommes et femmes, brigadier ou agent de maintenance. Et d'autres. Plus tard. Sidération. Colère. Désolation. Impossibilité d'accepter ces morts qui ont pensé, dessiné, défendu la liberté et son pouvoir jusque quelques minutes plus tôt.

AUJOURD'HUI. DIMANCHE 11 JANVIER 2015 Je rentre de la manifestation, indécemment forte de ressentir l'humanité dans ce qu'elle a de plus touchant et de plus vénérable : le rassemblement, la fraternité. La liberté est profonde, ontologique à la France et à son histoire. Implacable. Beaucoup en ont pleuré.

Liberté. Je la vis, je l'éprouve, je la défendrai, nous la défendrons toujours à Marie-Claire »

Les « Et d'autres » sont morts pour leur liberté d'exprimer leur judaïsme.

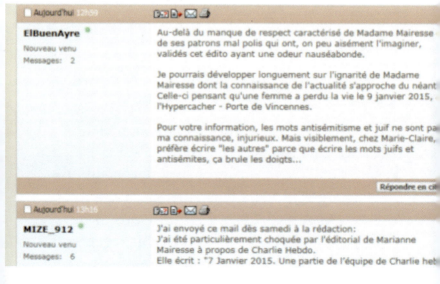

Je suis moi aussi choqué par cette phrase « Et d'autres ».

Les 4 otages assassinés venaient simplement faire leurs courses dans un magasin casher. Ils étaient nés juifs. Leur liberté était celle de vivre Juifs et de manger casher.

Pas de stylo, pas de crayon, pas d'article à l'humour décapant. Simplement des halots, du vin, quelques aliments pour fêter le shabbat.

Ne méritent-ils que l'oubli d'un amalgame dans les «autres» ? La policière de Montrouge est-elle aussi une « autre » victime ?

Où alors est-ce « normal » de mourir quand on est un juif ou un policier ?

Ce qui choque Mme Mairesse est l'atteinte à la liberté d'expression.

L'atteinte à la liberté de vivre sa foi n'est-elle pas aussi une atteinte à la liberté d'expression ?

Mais peut-être ne faut-il pas heurter la liberté d'expression des lectrices de Marie-Claire ? Ces juifs n'ont pas publié dans la presse. Ils n'étaient connus que de leurs familles et de leurs amis.

Mais depuis ce 9 janvier que Mme Mairesse oublie, leurs photos et leurs funérailles à Jérusalem sont dans nos esprits.

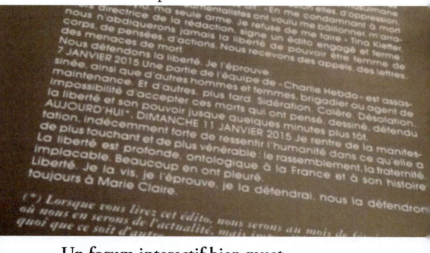

Un forum interactif bien muet

Les Juifs de Vincennes, ces autres anonymes pour Marie-Claire, n'ont même pas droit à une réponse aux interpellations des lectrices dans le forum.

La tartufferie de Mme Mairesse voudrait au minimum des excuses, un mot de solidarité avec les victimes.

Cachez Ce Juif que je ne saurais voir ?

Les familles viennent à peine de sortir de la période des 30 jours de deuil, elles sont encore dans leur douleur et dans l'incompréhension.

Ces « autres » sont des martyrs de l'indifférence des médias et des politiques à l'égard de l'islamisme radical et de l'antisémitisme banalisé.

Un organe de presse comme Marie-Claire, si connu et si vendu, a sa part de responsabilité dans la lutte contre le racisme et l'antisémitisme.

Ces « autres » morts du seul fait d'être Juifs à Toulouse ou Vincennes ne méritent-ils pas une ligne dans un éditorial ? Un dossier dans une édition de Marie-Claire ?

Allons Mme Mairesse, entre deux publicités pour des sacs de luxe et des cosmétiques, quelques mots pour dénoncer l'assassinat de ces « autres », les nommer et nommer le mal qui les a tués, le terrorisme islamiste ?

Un petit effort si simple, relisez votre phrase avec l'ajout de quelques « autres » mots :

Sidération. Colère. Désolation. Impossibilité

d'accepter ces morts qui ont prié pour Dieu et pour l'Humanité, acheté des aliments casher, parlé d'Israël et de la France, défendu la liberté de vivre Juif en France jusque quelques minutes plus tôt…

Bernard Musicant
Poète

Lettre d'une juive en colère

Tant de choses à dire. Les mots ne suffiraient pas à décrire mon désarroi en cette période si sombre. Car cette situation était prévisible. Depuis longtemps, les alertes sont activées, la communauté juive sonne l'alarme, les crimes antisémites ont déjà fait des morts : Ilan Halimi, enlevé, torturé, achevé par Youssouf Fofana, en 2006 ; Jonathan Sandler et ses deux fils Gabriel (3 ans) et Aryeh (6 ans), Myriam Monsonégo (8 ans) exécutés par Mohamed Merah, en 2012 ; Yohan Cohen, Yohav Hattab, François-Michel Saada, Philippe Braham, par Amédy Coulibaly en 2015, sans compter la tuerie du musée juif de Bruxelles par Mehdi Nemmouche en 2014, l'assassinat de Dan Uzan à Copenhague par Omar El-Hussein, le braquage et viol au domicile d'un couple juif à Créteil en décembre dernier par Ladji, Yacine et Omar, et autres agressions, profanations de tombes, tags nazis, insultes, moqueries, allusions honteuses et diffamations en tout genre. Et cela va probablement continuer.

Dans ce laxisme de la France qui a laissé la situation en arriver là, hélas, nous avons tous l'impression qu'il est trop tard. Tous?

Les Juifs tout d'abord, sur le devant de la scène malgré eux. «*Il y a tellement de potentiels terroristes que la police ne parvient plus à les répertorier*», annonce-t-on. Sans plus de sentiment de responsabilité que cela, comme si les islamistes radicaux avaient pullulé du jour au lendemain.

Différencier islam d'islamisme radical.

Est-il si difficile de différencier islam d'islamisme radical? Doit-on prendre des gants avec ceux qui profitent de l'ambiguïté coupable des citoyens pour jouer les victimes et imposer leur religion? Car il est question de cela chez les extrémistes, d'un prosélytisme intimidant, d'une imposition d'une foi qui se permet le pire pour arriver à ses fins.

Peut-être ai-je trop vu de ces vidéos qui circulent sur *You Tube*. Elles ont l'avantage de donner une information concrète sur les exactions innommables dont le but est de terroriser, mais ont aussi l'effet pervers d'inciter des gens haineux et prédisposés à adhérer à cette brutalité. Ne me parlez pas de paumés ou de déséquilibrés, ces jeunes n'auraient pas recours à la violence s'ils avaient reçu des valeurs. Le milieu social ne justifie en rien l'animosité, la jalousie, la revendication.

Je connais d'autres victimes, notamment celles de la *Shoah*, qui ont tout perdu et ont recommencé de zéro. Sans violence aucune alors que leur désir de vengeance aurait pu être légitime, après les dénonciations des années 30, les persécutions, exactions de la milice française (parfois pire que les SS), confiscation de biens, vols, gazage…

Le préjudice est incommensurable, des familles entières ont été décimées, un pan de branches généalogiques est effacé, des gens sont hantés par des cauchemars quotidiens. Exactions que, comble du négationnisme, certains voudraient nier !

Vous en avez marre d'entendre parler de la *Shoah* ? Il ne fallait pas la laisser faire.

Comment voudriez-vous qu'après à peine une génération, on n'en parle plus, on en efface les traces, pire, on la nie ! Pensez-vous que le peu de survivants et leurs enfants peuvent vivre une vie normale après l'horreur absolue ? Même la *Shoah* subit une sorte de jalousie, compétition des victimes, sorte de référence dans l'ignoble auquel certains aiment comparer les acteurs, par une sorte d'analogie morbide, assimilant nazis à tous ceux qui s'opposent à eux.

Revenons aux « valeurs », celles dont sont dénués les terroristes qu'on se plaît à analyser sous toutes les coutures, comme s'il fallait trouver raison, excuse à des gens qui l'expliquent, eux, leur rébellion, « au nom de l'islam ! ».

Ce manque d'éducation, de respect, de reconnaissance au pays d'accueil, de savoir vivre, est à la base des incivilités, du refus d'intégration, du développement de revendications impudentes et il a fallu être aveugle pour ne pas voir tout cela arriver.

Les inégalités sociales ne créent pas des assassins. Au mieux, elles génèrent des politiciens, des gens qui ont la rage de vivre et de s'en sortir, de réussir, ou des artistes, des gens sensibles, que sais-je ! L'inhumanité n'a pas attendu la misère pour se déclarer…

On donne en France une chance inouïe à tous, l'éducation est gratuite, les aides sociales sont importantes, mais il est certes plus facile de rejeter le système et de se plaindre que de se battre pour réussir. De nouveau, je citerai le cas des Juifs : que ce soit du côté ashkénaze ou séfarade, le fils du tailleur comme celui du boucher sont parfois devenus avocat ou médecin, et ce, malgré des antécédents les plus terribles.

Les enfants de cette immigration forcée se sont en général bien intégrés, en partant de rien, sans argent, sans biens, avec la douleur en prime. D'autres exemples de totale intégration ne manquent pas en France : communautés portugaises, italiennes, asiatiques s'y mêlent parfaitement, ajoutant leurs couleurs au pays des Lumières.

Non, pas d'excuse ni d'explication à donner à la haine, à la cruauté, à l'ignominie ! Ce ne sont pas ici des cas isolés mais des actions organisées, menées par des prêcheurs, des propagandistes actifs et qu'on a laissé foisonner, racoler, sans surveillance, des attiseurs de haine.

Des zones de non-droit sont inconcevables dans un pays comme le nôtre, et pourtant, il y a des quartiers où la police n'entre pas, ni même les pompiers ! S'il est bon de déceler les failles d'une société pour les résoudre à la racine, hélas, l'opération prévention n'a pas eu lieu quand elle pouvait être encore efficace. Il est trop tard maintenant pour prévenir. Une action forte et ferme doit arrêter ces meurtriers en puissance, qu'ils viennent du milieu de la pègre, qu'ils agissent au nom d'Allah ou de tout autre dogme !

La considération de cette montée extrémiste n'a pas été prise dans sa juste mesure. Aussi, je me demande depuis quand on analyse avec tant d'attention les profils psychologiques des criminels, jusqu'à en oublier presque les victimes, lesquelles ont de la pudeur et n'ont pas l'habitude, et grand bien leur fasse, de brandir leurs morts à tout-va, contrairement aux adeptes du culte du martyr. N'empêche que ces familles anéanties sont à peine évoquées. On préfère de loin parler de jeunes dont on ne soupçonnait rien, de voisins qui n'ont rien vu venir, de garçons en difficulté, comme si être en difficulté pouvait amener à tirer de sang froid une balle dans la tête d'un enfant !

Deux poids deux mesures, c'est vraiment la façon dont ont été traités les événements consécutifs de janvier. Vous ne me ferez pas dire que les gens seraient descendus dans la rue si seule la cible juive avait été touchée. Preuve en est les meurtres à Toulouse qui n'ont réuni que peu de personnes, et la plupart juifs ! Il y a des années, la profanation de sépultures juives fédérait un grand nombre de manifestants, aujourd'hui, ce n'est plus le cas. La cible juive est presque une normalité, un décor. Banalité du mal qui s'attaque aux Juifs.

Et ce n'est pas une « histoire de religion ». Les Juifs ont-ils attaqué, agressé, bafoué, profané, tué au nom de leur religion ? Ont-ils voulu imposer leur mode de vie, convertir quelqu'un ? Non, ils n'ont jamais été prosélytes.

Rappelons que ces boucs émissaires sont un symptôme et ils sont le dernier rempart avant l'extermination de tous les défenseurs de liberté.

L'effet inverse

Au lieu d'être désormais sans concession, on parle des problèmes d'immigration, on brosse dans le sens du poil ceux qu'on a peur de comparer, stigmatiser. Bien sûr qu'il ne faut pas amalgamer. Mais depuis longtemps, un mouvement musulman aurait pu se créer allant à l'encontre des manipulations, des bourrages de crâne sévissant dans les mosquées, dans les quartiers dits difficiles. Mais il n'y a pas eu ce mouvement fort et dissuasif à part des cas individuels, souvent menacés d'ailleurs. Beaucoup précisent même que les caricatures de Mahomet les choquent. Alors on ne fait plus comme avant, on régresse au lieu de tenir bon, on culpabilise, on excuse, on analyse le chemin du djihadiste, le pourquoi, le comment, on justifie presque ! Mais il est trop tard pour éduquer. Les islamistes radicaux n'ont aucune envie de démocratie mais veulent dominer le monde et imposer leurs idées, au nom d'Allah, comme si l'alibi de D-ieu suffisait à tuer des innocents !

L'anomalie

Non, les religions ne sont pas à la même enseigne. S'il existe des fanatiques dans toutes les religions, mais il n'est pas nécessaire d'être au fait de tous les textes *sacrés* pour comprendre que prôner le meurtre au nom d'une foi est inacceptable. Les livres exigent une réinterprétation continuelle, respectueuse des codes en vigueur et du pays dans lequel on vit, et toute nuisance à autrui se doit d'être radicalement interdite. C'est la base de tout comportement éthique. La religion ne peut être une opération de destruction massive, alibi à la monstruosité.

Les Juifs ont-ils imposé dans la république des règles que la société devrait suivre? Certainement non. Ils se mêlent dans la cité, ont œuvré pour s'y intégrer, y participent activement et quand ils réussissent, ils deviennent influents. Ça dérange d'ailleurs, comme si ces personnes avaient volé leurs postes, leurs qualités, leurs efforts! Alors que 2/3 des Juifs d'Europe, soit 40 % des Juifs du monde, dont 1 500 000 enfants ont été exterminés pendant la seconde guerre mondiale, la petite partie restante est de nouveau le souffre-douleur d'une communauté humaine. Que représentent les Juifs pour ces gens haineux?

Je disais donc qu'après ces immenses pertes, les

survivants ont rebâti et recommencé leurs vies, comme les Juifs le font depuis longtemps puisque rejetés en moyenne toutes les deux générations et obligés de quitter leur lieu de résidence pour un autre, contraints de s'assimiler à un nouvel environnement, errance créant peut-être cette soif de vivre, de se battre, d'être acceptés, de faire en sorte que le monde tourne mieux.

C'est à toutes les populations venues d'ailleurs de s'intégrer à la France, de se plier aux lois de la république, d'orner de leur culture les principes démocratiques, d'honorer et de remercier ce pays de leur offrir, pour ce qui est des originaires de pays arabes totalitaires notamment, ce qu'ils n'ont pas chez eux : la liberté d'être ce qu'ils veulent, de s'exprimer, de pratiquer ou de ne pas pratiquer, de vivre dans une société équitable dans la relation hommes-femmes.

L'amalgame avec Israël

Aujourd'hui, l'antisémitisme a pris la forme d'antisionisme. C'est tellement facile de tout rejeter sur Israël, ce pays qui, dès sa création, a vu tous ses voisins lui faire la guerre. Les Juifs, qui ont été de tout temps opprimés, y portent un grand attachement, car c'est le seul état qui les protègera quoi qu'il arrive.

Cette solidarité est pourtant facile à comprendre, sans compter les fabuleux exploits de cette nation jeune et moderne qui en 65 ans, est devenue un exemple d'intégration fantastique (avec toutes les religions représentées et de multiples nationalités issues des cinq continents). Mais les antisémites aiment se couvrir sous leur haine d'Israël pour détester les Juifs.

Il faut bien trouver quelque chose à leur reprocher. Pour ne pas trop les définir en innocents, ils doivent bien être coupables quelque part. Israël tombe à pic, on le diabolise donc! De plus, aux yeux du commun des mortels, les Juifs sont une entité qui pense tous la même chose, alors que là où il y a deux Juifs, en général, il y a au moins 3 opinions! (non, ce n'est pas de l'humour juif, je n'en ai pas le cœur).

Comme si, en plus d'entendre tout le mal, la mauvaise foi, la propagande et la polarisation portée sur ce jeune pays (un exemple démocratique dans toute la région), il fallait ne pas réagir. L'obsession sur Israël est maladive, pathologique, malveillante.

Et admettons que je sois «sioniste» comme vous dites (à savoir ce qu'est un sioniste pour vous, puisque vous y mettez bien sûr forcément une connotation péjorative), disons, liée à l'état d'Israël, cela justifierait-il l'animosité portée à mon égard?

En fait, vous n'avez pas grand-chose à reprocher

aux Français juifs. Ils n'ont dérangé personne. Israël a à faire face au même terrorisme que celui qui a sévi en France (les deux se battent pour les mêmes valeurs. Le Hamas, les frères Kouachi, Coulibaly, c'est la même chose!) et malgré cela, il est boycotté, critiqué, haï. Vous souhaiteriez qu'il ne se défende pas? Absurdité!

Israël a vu le jour parce que personne ne voulait des Juifs. La 2ème guerre mondiale avait laissé tant d'orphelins que beaucoup d'entre eux s'y sont rendus. Enfin, un endroit les accueillait, n'avaient-ils pas suffisamment erré à travers le temps avec leur fameux baluchon? Mais tant de personnes voudraient explicitement le voir disparaître, ils le disent, le clament et il faut être aveugle, masochiste ou malveillant, pour l'ignorer. Israël, question de survie, est obligé de se défendre! Il n'est que prétexte aux antisémites. L'antisémitisme n'a pas attendu Israël pour exister!

Les critiques sur l'État hébreu sont tellement orientées qu'il faut être de mauvaise foi pour y voir une objectivité, l'approche étant parasitée par tous les ennemis de ce peuple et ils sont, hélas, nombreux. Et malgré les attentats, les nombreuses exactions qu'on voit tous les jours sur des vidéos postées par des fous de D-ieu, on continue de damner Israël, de soutenir aveuglément les Palestiniens et même ceux qui se sont réjouis des attentats de Paris (comme du 11 septembre, comme de tout attentat envers des civils) – dans le culte du martyr, on aime brandir les morts, trafiquer des photos, accuser sans preuves (voir L'affaire Al-Doura). L'information sur Israël dans les médias français est infiniment orientée.

Les clichés ont la dent dure

Les Juifs ont de l'argent, le lobby juif, le complot juif, la domination des Juifs, le Mossad derrière tout événement... Comment ces calomnies peuvent-elles encore exister ? On prête aux Juifs un pouvoir fou, et les antisémites viscéraux s'en donnent à cœur joie. Même dans une région où il n'y pas de Juifs, il y a des antisémites.

Régulièrement persécutés, jalousés, haïs jusqu'à avoir leurs tombes profanées, leurs noms salis, les Juifs ne peuvent qu'être solidaires. Encore plus avec tout ce qu'on raconte sur Israël.

Véritable obsession des médias quand on oublie les lieux où sévit la famine, la misère, où sont massacrés des opposants à un régime, où sont torturés et mis à mort des innocents, où des dictateurs font leur loi et tuent, permettent la lapidation, le mariage forcé, l'union avec des mineures, condamnent les homosexuels etc.

La liste est longue...

Non, l'accent est mis sur l'État hébreu, ce frêle état si neuf qui a réussi en si peu de temps à se hisser au rang d'un puissant pays! Un succès phénoménal, avec une population hétéroclite formée d'immigrants du monde entier, un lieu où la matière grise fourmille et où les start-up n'en finissent pas de développer des inventions qui servent l'humanité tout entière.

Bref, un pays incroyable, avec ses problèmes bien sûr et qui ne manquent pas, internes, sociaux et surtout sécuritaires.

Le systématisme qui consiste à appeler «disproportion» toute réaction d'Israël à ce qui l'attaque (devrait-il se laisser anéantir, laisser des massacres de civils, dans un bus, une discothèque, une rue, une synagogue, perdurer, accepter de recevoir pendant des mois des roquettes non stop sans riposter?), est choquant.

Oui, le fait que ce peuple existe toujours est un miracle. Par la force des choses, il renaît à chaque vague d'antisémitisme, même si des gens ne s'en remettent jamais.

On a brûlé leurs livres, gazé leurs corps, empêché leur foi. Mais il est toujours là. Et si rien ne peut ébranler leur identité, c'est peut-être parce qu'on les persécute ces Juifs depuis si longtemps! On ne les laisse pas s'assimiler même quand ils le souhaiteraient! Et s'ils se rétablissent, c'est parce que les valeurs les tiennent, l'éducation qu'ils donnent à leurs enfants est bien loin de la haine qu'ils ont reçue, la transmission est le socle de cette éternité.

Alors non, ce ne sont pas les religions qui sont à mettre en cause mais celles qui bannissent l'autre, l'excluent, se croient supérieures. Personne n'a la science infuse, chacun a le droit de croire à ce qu'il veut. Tant qu'elles ne font mal à personne ni n'imposent quoi que ce soit, elles ont le droit d'exister. A partir du moment où elles manipulent, endoctrinent, mentent, prônent le mal au lieu de tenir leur fonction du bien, elles sont détestables.

Les Juifs n'ont pas attendu les attentats de 2015 pour bénir la république française. Ils le font chaque semaine dans leurs synagogues, reconnaissants envers leur pays d'accueil. Mais ils se doivent de rester vigilants en permanence, antisémitisme récurrent oblige. Car sous-jacent, latent, explosif, il réapparaît toujours car… il n'a en fait jamais disparu. Depuis plus de deux décennies, les juifs alertent à chaque incartade, dénoncent la montée du fléau islamiste radical et de l'antisémitisme montant. Celui-ci ne s'est pas déclaré violent du jour au lendemain. N'ont pas poussé les extrémistes musulmans en un jour!

Dieudonné, l'infâme, prône la haine depuis bien longtemps, comme s'il était difficile de distinguer humour positif de celui qui incite à la malveillance! Il est drôle de caricaturer, de pointer les défauts et les caractéristiques d'une partie de la population tant que ce n'est pas mal intentionné.

Les idées de cet humoriste qui a autorisé la parole haineuse à se délier, sont pourtant claires et ses fréquentations aussi. Ses blagues sont abjectes. Mais on laisse faire et il continue ses spectacles, jouant sur l'ambiguïté dont aucune personne sensée ne peut être dupe! Promoteur de la quenelle, il rallie sans problèmes : jeunes en quête d'identité, antisémites virulents, extrême-droite déclarée comme extrême-gauche antijuive sous couvert d'antisionisme, un déguisement bien fallacieux…

Après les attentats de janvier

Aujourd'hui, le sursaut républicain, très bien orchestré, n'a pas suffi. Partout l'on cède, dans la peur de l'amalgame, la crainte de stigmatiser, pour ne pas blesser les susceptibilités musulmanes, revenant sur des libertés fondamentales.

Les Musulmans sont présentés comme des victimes. Ils sont victimes de leurs coreligionnaires, mais aussi coupables d'avoir laissé faire, de ne pas avoir, dans leurs rangs, contré le fanatisme prôné dans certaines mosquées. Pourquoi n'ont-ils pas dénoncé cet islam au nom duquel les meurtriers se revendiquent ? C'est en son nom que les extrémistes agissent, c'est en son nom que ces personnes modérées doivent rétablir cette société malade.

Au XXIe siècle, chaque enfant juif en France est aujourd'hui épaulé d'un soldat armé. Chaque lieu de culte juif héberge des militaires qui y dorment par crainte d'attentats. C'est une situation surréaliste pour un pays des droits de l'homme de n'avoir pas su protéger une partie de sa population.

Et comment trois personnes, connues et fichées qui plus est, ont pu déséquilibrer le pays pendant 3 jours, attentant à des journalistes, à la liberté d'expression, aux forces de l'ordre, aux Juifs ? 3 personnes ! Imaginez le réveil des centaines de cellules terroristes dormantes, soit des milliers de personnes prêtes à agir !

Partir ?

La manière dont les médias présentent ce départ potentiel des Juifs est détestable. C'est comme si eux voulaient partir, alors que si certains l'envisagent, c'est par peur, de l'avenir, pour leurs enfants, parce qu'ils en ont assez de subir, assez d'être tués, parce qu'ils ne se sentent pas suffisamment protégés, ne ressentent pas de solidarité, alertent depuis longtemps mais ont assisté impuissants aux meurtres de plusieurs de leurs coreligionnaires et sont devenus extrêmement pessimistes.

Ils ont aussi entendu en toute impunité «Mort aux juifs» l'été dernier dans une manifestation pour Gaza, sans que cela ne choque personne! Et ils en ont assez de la diabolisation d'Israël, véritable obsession médiatique, marre du manque d'objectivité conduisant à le boycotter, le diffamer, le critiquer, le taxer de ce qu'il n'est pas, en inversant les rôles, dans un parti pris systématique.

Assez de la façon dont sont présentées les informations, ignorant sciemment la situation sécuritaire d'Israël accusé d'être responsable de tous les maux de la planète!

Un sujet qui occupe tous bords confondus, une préoccupation première complètement irrationnelle chez ceux qui se cherchent une cause à défendre, allant aveuglement dans la gueule de la désinformation, se plaisant à recourir à une terminologie détestable empruntée des nazis, pensant qu'on a le droit d'insulter de nouveau des victimes par le biais du langage de leurs tortionnaires, figeant leurs idées qu'on a beau réfuter avec de multiples preuves, en vain, tant le thème leur est passionnel et leur esprit mal tourné.

La tonalité du discours sur cette *Alyah* ne reflète pas le malaise, l'angoisse des Juifs qui inévitablement comparent le temps présent avec les années 1930, prémices de l'extermination des leurs dans une indifférence quasi unanime quand ce ne fut pas complicité, participation, meurtres.

Aujourd'hui, l'extrême droite comme l'extrême gauche française sont souvent antijuifs. Les premiers par tradition, les seconds, par soutien à la cause palestinienne, dont ils ignorent bien souvent tout.

Combien triste est, pour ceux qui le décident, de quitter la France qu'ils ont tant aimée! Leur départ est rarement politique mais par crainte d'autres attentats les visant. Et ils ont mal quand on leur fait comprendre qu'ils ne sont plus bienvenus.

Ce « choix » de partir est difficile pour beaucoup, qu'il se porte vers Israël ou autre destination, tout d'abord par ce terrible sentiment d'être rejeté, de devoir refaire ses valises comme tant de leurs ancêtres l'ont fait dans cette maladie chronique qu'est l'antisémitisme avec sa forme actuelle (à chaque époque, il se présente autrement), mais aussi par son côté pratique : apprendre une autre langue, adopter une autre culture, trouver du travail, se faire à autre mentalité, craindre, s'ils optent pour vivre en Israël, encore des attentats…

Les Juifs ne demandent pourtant qu'à vivre en paix et qu'on les laisse vivre en paix.

Ce qu'il faut faire? Ne pas céder au chantage, relever la tête, être ferme sur les lois de la république que tout un chacun doit respecter.

Être fier d'être français, digne, altruiste, respecté. Peut-on accepter que des gens vous imposent leurs modes de vie, dans une régression digne de l'avant Moyen-âge? Il faut condamner la charia, l'asservissement de la femme, le meurtre «légitimé» au nom d'une religion. Il n'y a pas de religion supérieure, il y a des nations, chacune a un rôle, «la liberté s'arrête là où commence celle d'autrui».

L'avenir

Se passeront encore des actes terribles. Personne n'aura réagi ou si peu et si tard. Quand j'entends «c'est un déséquilibré» à propos d'un homme qui fonce avec une voiture bélier sur des piétons et crie «Allah Akbar» ou «on ne sait pas leurs motivations» à propos de jeunes qui vont saccager

250 tombes juives dans un cimetière, je me dis « quelle mauvaise foi ! ».

Le message est pourtant clair. Mais les gens s'habituent à ce que les Juifs soient visés. Et il y a ceux qui crient « au nom des enfants de la Palestine », sans rien connaître au problème palestinien, comme la majorité des endoctrinés des quartiers « sensibles ».

Ce qu'ils retiennent, c'est que le conflit oppose des Arabes à des Juifs et sans connaître nul tenant ni aboutissant, ils s'identifient à des Palestiniens qui ne leur ressemblent en rien mais dont ils ont en commun le fait d'être Musulmans, pour ceux d'entre eux qui le sont (s'ils vivaient ensemble, il est possible qu'ils s'entretueraient). Mais cela arrange l'antisémitisme primaire : Israël est l'état « juif », le juif est celui à combattre, sans discernement.

Opération solidarité

À l'image de l'*hyperchabat*, une opération nationale de solidarité aurait due être faite par tous les Français. Car au lieu que les causes « humaines » nous réunissent tous, je ressens toujours ce traitement différent envers les Juifs.

L'histoire leur impose une vigilance de tous les

instants. Obligés d'être sur le qui-vive, ils doivent surveiller la moindre information, la calomnie étant si présente. Ils sont comme les éclaireurs de ce monde pour alerter : « attention, déviation, dépassement, cul de sac… ». Question de survie et d'équilibre… du monde entier.

J'attends des intellectuels musulmans lucides de représenter dignement la France et ses valeurs, de condamner et de ramener ces jeunes extrémistes à la raison, de leur inculquer les valeurs de la république, et moi, j'écrirais dans toutes les écoles et les lieux publics : « Je suis Charlie, je suis Juif, je suis flic, je suis Français et fier de l'être, pour longtemps. »

Puisse toute la communauté humaine se regrouper autour de valeurs de paix, de respect et d'humanisme.

Sarah Mostrel
Écrivain

Je suis pour

Pour Charlie H, pour la liberté d'expression, pour la France. Contre le terrorisme et l'amalgame. Et la France, elle m'a tant apporté et fait ce que je suis : éducation, grande école, santé, amis, culture, débat... et ça, je le respecte... et tous les français sont aujourd'hui debout... et je suis fier d'être français.

À tous mes amis musulmans du Maroc, de Tunisie, d'Algérie, de Paris...

À tous mes amis musulmans qui vivent en harmonie avec leur croyance, le travail, les moments de loisirs, les moments de rire...

À tous mes amis musulmans libres, ouverts, fraternels, avec un sens de l'hospitalité hors du commun, avec des valeurs.

À tous mes amis musulmans avec qui j'ai travaillé, j'ai ri, j'ai partagé des moments : Kenza S, Ahmed T, Fahd D, Amine B, Mohamed M, Réda L, Morad B, Brahim S, Jaouad B, Houda M, Moez K, Monia Rahma J, Karim T, Abdel M, Zoubir M et des centaines d'autres ; je veux vous dire qu'aucun amalgame n'est possible.

En tirant sur Charlie H, c'est votre belle religion qui a été touchée et celle-ci n'a aucun rapport avec cet attentat.

NON A L'AMALGAME.

Ilan Cohen
Polytechnicien

Imagination

déposa ses mots sur la blanche page.
Affirmation trouva cela parfait
Attribution hésita sur celui à prendre
Négation refusa d'être jolie
Frustration voulu avoir une rose page
Continuation cherchait la suite du texte
Ablation trouva qu'on prenait l'eau
Admiration impatiente de la suite,
Terminaison pointait son nez.
Que d'Imagination écrire sur une page blanche,
C'est une Affirmation parfaite
Et l'Attribution des mots sait se prendre
Quand à la jolie Négation
« Aucune Frustration de voir un page rose » ;
La Continuation sera celle du texte
Car l'Ablation de ma main dans l'eau,
Fut Admiration pour la suite,
D'écrire la Terminaison, s'il en ai ?

Isabelle Chopin
Directrice littéraire de la douzième vague

ICH BIN
CHARLIE

انا شارلي

YO
SOY
CHARLI

JE SUIS
CHARLIE

من
چارلی
هستیم

SOM   Я ШАРЛИ   JSEM
CHARLIE   ЭБДО   CHARLI

Mon billet personnel

J'ai tout d'abord été choquée par la barbarie dont l'espèce humaine dite « évoluée » est encore capable à notre époque ! Mais çà on le savait déjà…

Puis j'ai été touchée par le mouvement de solidarité qui s'est créé suite à ce drame.

Et c'est vrai

La violence et le sombre existent… bien malheureusement mais

La paix et la sérénité aussi,

L'humain peut faire l'équilibre

Et il vient de le faire… que d'espoir…

Car aujourd'hui j'ai vu un TSUNAMI HUMAIN à la télé. Je n'avais jamais vu cela de ma vie car personnellement j'ai eu la chance de naître après les deux guerres mondiales.

Aujourd'hui des millions de gens se sont unis pour marcher côte à côte.

Alors oui c'était magnifique ; je pense personnellement que tous ces gens revendiquaient leurs libertés et que le monde est plus que prêt pour dire NON AU TERRORISME.

Notre Président a eu le ton juste.

Je ne crois pas à la récupération politique ou alors je ne comprends pas son impopularité. En tout cas c'était une belle défaite pour l'extrême droite et l'extrême gauche. Et çà c'est plus que rassurant.

Cinquante nations, toutes les religions confondus, des artistes, des intellectuels, des gens et des gens anonymes, tous réunis pour les mêmes valeurs, c'est magique.

PAIX, AMOUR, TOLERANCE resteront les maîtres mots du 11 janvier 2015 de cette belle marche républicaine où toutes les couleurs de peau s'étaient données la main…

Belle méditation et belle revanche après le 11 septembre 2001, effondrement des Tours, après le 11 mars 2004 les attentats de Madrid.

Moi, modestement je tire mon chapeau à ceux qui ont été le motivateur d'un pareil rassemblement… un vrai élan contre le terrorisme… et un sacré hommage à ces pauvres victimes…

Je salue le beau pied-de-nez de nos dessinateurs car si les terroristes voulaient les faire taire à tout jamais, voici leurs esprits à tout jamais éveillés véhiculant leur combat de libertés au travers de tout ce peuple.

« Ils voulaient la France à genoux, la voilà debout ».

Paris, capitale mondiale de l'antiterrorisme pour un jour ou pour toujours…

C'était, en tout cas, une très belle journée historique, pleine d'espérance… et cela ne restera pas sans suite…

Entretenons la flamme, soyons optimistes, LA LIBERTE EST PLUS FORTE QUE LA HAINE.

Sylvain Quehen
Peintre

La vie

J'ai regardé des émissions médicales.

Quand je vois tous les efforts réalisés par des médecins pour améliorer la vie, la prolonger, et qu'en face, d'autres tuent sans vergogne.

Claude Cognard
Écrivain

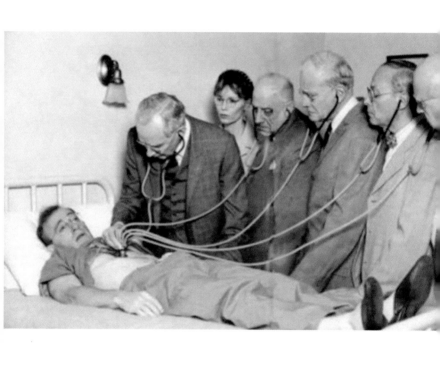

Bonne Année 2015

Que 20015 soit pleine de terreur, de sang, de victimes, de racisme et d'intolérance, de morts de faim et de soif et de pollution par le gaz et la bêtise.

Peut-être que le BON DIEU réagira plus vite à l'humour.

Michael Cohen
Pianiste et travailleur
dans un kibboutz à Tel Aviv

L'humour d'un fils

20015, on a le temps de voir venir.

Rony Cohen
Journaliste, psychiatre
et fils de Michael Cohen, Paris.

Charlie Trois mois plus tard.

Charlie Faux rêveurs.

Sylvain Boes
Écrivain

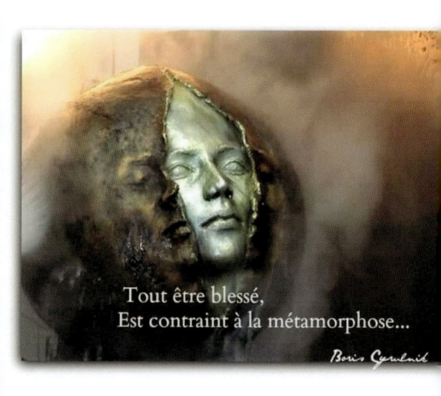

Je suis Sigi

Dans L'avenir d'une illusion, celui que sa mère appelait « Sigi chéri », mieux connu sous le nom de Sigmund Freud, proclamait son hostilité envers toutes les religions. Rien de bon, pensait-il, ne pouvait naître d'un aspect refoulé de notre personnalité. Derrière la tendresse et la fraternité au nom de Dieu, se cachaient nos instincts les plus cruels, notre sauvagerie primaire. Comment faire le bien si nous n'affrontons pas le mal, si nous nous contentons de le refouler plutôt que de l'analyser ?

Le 7 janvier, j'ai pensé au nazi, au tortionnaire chilien, au khmer rouge, au djihadiste et à l'extrême droitiste en colère, qui sommeillaient en moi-même. J'ai vu en songe, cette assemblée de dictateurs zélés, capables au nom de leurs vérités, de détruire leur prochain. J'ai pensé à moi, sur la nationale 118 qui relie mon cabinet de psychanalyste au foyer pour adultes handicapés mentaux dans lequel je travaille. Je me suis vu insulter un automobiliste un peu trop lent, le traiter de « connard », et puis gentiment demander mon chemin à un autre, en le remerciant allègrement de m'aider. Je me suis perçu dans toute ma fragilité, dans toute mon ambivalence, avec cette barbarie qui n'en finit pas de rugir au fond de moi et de réclamer son reste. A tout prix. Je comprenais si bien les frères Kouachi, les imaginais asséner le coup de grâce à Cabu, mon ami d'enfance, comme je me délectais d'assassiner mon frère au football, quand j'avais huit ans. Je me faisais une idée de ce que ça pouvait être, dans les fibres de ces gamins errants, ignorants, sauvages ; dans les tripes de ces bestiaux d'entraînement en quête désespérée d'une illusion bienfaitrice.

L'avenir d'une illusion de Freud, me revint alors en tête. Il se dressait là, le pessimisme noir de Sigi, à la veille de la seconde guerre mondiale. Dans quelques années, ses propres sœurs seront déportées et gazées à Auschwitz. Charb, Cabu, Choron et les autres mettaient des mots et des dessins sur cet inconscient animal, plein de paradoxes, d'amour et de haine, de sévérité et de clownerie, d'envies de meurtre et d'étreinte mêlées. Ils ne se prononçaient pas, à Charlie Hebdo. Ils laissaient se dévider les caricatures, comme autant de points d'interrogation sur les chemins tortueux, torturés, de l'Humanité. On s'expose à de sérieux dangers quand on ne se prononce pas, de nos jours. On ne doit pas rester dans la cour de récré mais se diriger fissa vers les salles de prières. Les frères Kouachi du monde entier nous surveillent, nous traquent, nous somment de croire au même Dieu qu'eux sous peine de passer à la moulinette. Ils ne sont pas très intelligents, pas très doués, pas très cultivés. Seulement, et c'est ce qui fait l'unique différence entre eux et moi, ils sont pleins de certitudes. Quand ils refoulent, eux, c'est pour de bon ! Alors, à l'heure où l'on fusille l'humour potache au nom d'un papa dans le ciel, je constate amèrement que l'homme est toujours aussi boiteux mais qu'il s'égosille encore à nier l'évidence.

Joseph Agostini
Metteur en scène et Psychanalyste

Des mots et des maux

J'écris depuis quelques jours.

Des mots qui m'embrument l'esprit.

J'ai présumé un peu rapidement de mes capacités.

Il est encore trop tôt pour moi pour écrire sur Charlie.

Je suis vraiment désolé pour cette dérobade, mais aujourd'hui, je n'ai pas encore dépassé le stade de cette colère provisoirement stérile.

Pierre Alexandre Orsoni
Rédacteur à l'AFP

Je ne crois plus en l'humanité.

Comme je suis certain que l'humanité a eu un début, je ne peux être que sûr de sa fin prochaine.

J'ai eu cette révélation tout jeune, quand, au Muséum d'histoire naturel du jardin des plantes, devant le squelette d'un dinosaure, et, que plus jamais on n'en reverra : et bien, je me suis dis : c'est ce qui nous arrivera.

En effet, à partir du moment où l'on conçoit le début d'une chose, il faut également, et ce par esprit de logique, en concevoir la fin.

J'ai bien connu Elsa Kayat, la seule femme victime de l'attentat de Charlie Hebdo, juive, bien sûr.

Pour la majorité des gens, c'est un attentat terroriste, mais quand on veut bien réfléchir, cet acte odieux est bien la preuve irréfutable que l'humanité n'est qu'un accident de l'interminable histoire de l'univers, et c'est parce qu'elle a la pleine conscience de sa mort prochaine qu'elle s'invente des religions et des différences pour justifier ses guerres et ses meurtres abjects, mais en fait, c'est pour oublier sa misérable condition qui est celle de disparaître.

Pourtant je dois y croire parce que je suis l'humanité et qu'il vaut mieux naitre et mourir que de n'avoir jamais vécu.

L'HUMANITE IL FAUT TOUT PRENDRE OU TOUT LAISSER.

Jacob Taieb
Pianiste

« Si on me presse de dire pourquoi je l'aimais, je sens que cela ne se peut exprimer qu'en répondant : Parce que c'était lui, parce que c'était moi » Michel de Montaigne

SOIRÉE ÉTIENNE DE LA BOÉTIE

Mardi 07 Avril 2015
19 heures
(Durée du spectacle 1h20)

Auditorium du conservatoire Maurice Rave

Sonnets

avec

Louise Franjus, Juliette Jeammes, Justine Tintillier,
Florentin Crouzet-Nico, Faraban Diakité, Maxime Gleizes, Jonas Mordzinski

(Élèves de la classe de théâtre du conservatoire Maurice Ravel)

«Soyez résolus à ne servir plus et vous voilà libres.»

Le discours de la servitude volontaire

avec

François Clavier

François Clavier, metteur en scène, comédien, professeur de théâtre.

L'INNOCENCE

Il faut vomir cette sentimentalité.

Photo Edouardo Houth

L'innocence

Il faut vomir cette sentimentalité.
Il y a autre chose que la communication.
La communication, c'est encore du narcissisme.
Moi, je ne communique rien avec personne.
Rien de plus absurde que l'innocence.

Il n'y a que je t'aime pour dépasser si seulement j'étais mort.

Howard Barker
Dramaturge, auteur et metteur en scène

Visionnaire

L'amour n'existe pas.

Patrice Chéreau
Metteur en scène

Intelligence

Les sceptiques seront confondus.

Xavier Dolan
Cinéaste

Je ne peux pas aller travailler : mon collègue porte des carreaux et des rayures et des pois en même temps ; émotionnellement, ce n'est pas gérable.

Philosophes

Ah non , on peut pas écrire euh sur euh… Charlie Hebdo, Cecilia et moi on a plein d'articles en retard et on n'arrive pas euh… à se dépatouiller entre la chèvre et le chou, euh… désolés…

Ben euh… parce qu'après, si on les rend pas, euh… on va s'faire gronder.

Euh… merci.

Désolés.

Philippe Huneman
Directeur de recherche au CNRS

Champagne

Écrire sur la liberté?

Malheureusement, le temps me manque cruellement en ce moment.

Agnès Martin Lugand
Écrivain

Ici et maintenant

Écrire sur La Liberté?
Oh, je ne sais pas.
C'est juste impossible pour moi.
Trop de travail en retard.
Plusieurs déplacements.
Ici et Là.
Je suis sous l'eau.

Camille Laurens
Écrivain

La Banque et ses messages subliminaux...

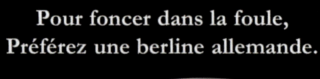

Pragmatisme

La liberté d'aujourd'hui

Bonjour je vais à la banque pour obtenir un crédit afin de m'acheter une voiture.

Ensuite s'ils refusent, j'irai au ministère de la défense.

Caroline Cohen

J'ai acheté la voiture

Caroline Cohen

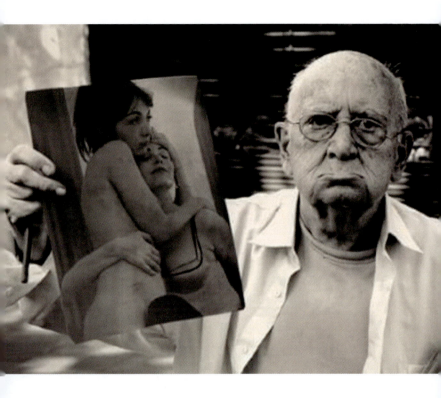

Composition Gérard Costa

Les Psychiatres

Non mais vous pensez que l'on peut passer sa vie à réaliser ses rêves???, c'est l'heure des médicaments.

Docteur Grauss

Psychiatre dans un Hôpital

Bonjour à tous,

Vous risquez de recevoir un mail nommé "on est tous charlie" qui est diffusé à grande échelle depuis ce WE.

Dans ce message une photo de bébé avec un bracelet de naissance où il est écrit "on est tous charlie" vous invitant à cliquer sur la photo.

Ce message contient un malware (virus) qui permet de prendre le contrôle à distance de votre ordinateur et de récupérer toutes vos données et mots de passe."

Source : Service de Cyber Criminalité du Ministère de la Défense.

MINISTÈRE DE LA DÉFENSE

Table

La splendeur de l'innocence
Caroline Cohen.. 11

C.h.a.r.l.i.e
Camille Arman.. 17

Ma Phrase
Stephan Mathivon 21

L'esprit de Voltaire à terre
Cyrille Godefroy 23

Ne ferme pas la porte à la liberté
Claude Cognard 29

Mon cher Charlie
Sylvain Boes 35

Que dirait saint-Ex ?
Jane L'her 41

Plume
Philippe Urvoy De Closmadeuc 43

Alarmes
Gérard Muller 49

Non Luz t'es pas tout seul
Jane L'her 53

Non Luz t'es pas tout seul
Caroline Cohen 59

L'oiseau blessé
Serge Lainé 65

Mon Frère,
Luc Besson 69

Hommes parmi les hommes
Massinissa Nait Sidenas 73

Dis-leur
Camille Arman 79

Libres et ego
Sylvain Boes 83

Je suis...
Gérard Muller 87

Et maintenant ?
Antoine Spire 93

En direct de Mexico
Carlos Perez Bucio 99

**Pour Marie-Claire, les Juifs assassinés
à l'Hyper-Cacher ne sont que des « autres »**
Bernard Musicant 109

Lettre d'une juive en colère
Sarah Mostrel 117

Je suis pour
Ilan Cohen 139

Imagination
Isabelle Chopin 141

Mon billet personnel
Sylvain Quehen 143

La vie
Claude Cognard 147

Bonne Année 2015
Michael Cohen 149

L'humour d'un fils
Rony Cohen 149

Charlie Trois mois plus tard.
Sylvain Boes 151

Je suis Sigi
Joseph Agostini 153

Des mots et des maux
Pierre Alexandre Orsini 157

Je ne crois plus en l'humanité.
Jacob Taieb 159

L'innocence
Howard Barker 163

Visionnaire
Patrice Chéreau 165

Intelligence
Xavier Dolan 165

Philosophes
Philippe Huneman 167

Champagne
Agnès Martin Lugand 169

Ici et maintenant
Camille Laurens 169

Pragmatisme
Caroline Cohen 171

Les Psychiatres
Anne Gross 173

Cet ouvrage a été réalisé

par **SARYTECH** *[V2]*
16, rue Pastorelli - 06000 Nice

Pour LESEDITIONSOVADIA
N° d'éditeur : 2-36392

Dépôt Légal : 2015